BAYERISCHE AKADEMIE DER WISSENSCHAFTEN
PHILOSOPHISCH-HISTORISCHE KLASSE
SITZUNGSBERICHTE · JAHRGANG 1991, HEFT 3

PETER LANDAU

Officium und Libertas christiana

MÜNCHEN 1991
VERLAG DER BAYERISCHEN AKADEMIE DER WISSENSCHAFTEN
In Kommission bei der C. H. Beck'schen Verlagsbuchhandlung München

ISSN 0342-5991
ISBN 3 7696 1559 X

Druck der C.H. Beck'schen Buchdruckerei Nördlingen
Gedruckt auf alterungsbeständigem (säurefreiem) Papier
Printed in Germany

Officium und Libertas christiana

Die beiden hier vereinten Studien wurden zunächst als Vorträge vor der philosophisch-historischen Klasse der Bayerischen Akademie der Wissenschaften ausgearbeitet und für die Drucklegung erheblich erweitert und ergänzt. Die Erweiterung und Fertigstellung erfolgte während eines Forschungsjahres, das ich am Institute for Advanced Study in Princeton/N. J. verbringen konnte. Die Arbeiten behandeln zwei Grundbegriffe des kanonischen Rechts, die in ihrer gegenseitigen Zuordnung und in ihrem Spannungsverhältnis für die Geschichte des Rechts der christlichen Kirche zentrale Bedeutung bis zur Gegenwart behalten haben. Selbstverständlich haben beide Begriffe auch in den weltlichen Rechtsordnungen des Abendlandes eine lange Geschichte seit der Epoche des Imperium Romanum. Die hier vorgelegten Aufsätze erörtern das Problem von Officium und Libertas aus der Sicht des Kanonisten und speziell als Teil der Quellengeschichte des kanonischen Rechts. Der Ausgangspunkt sind somit *Detailuntersuchungen*, deren Bedeutung für die großen Perspektiven der Rechtsgeschichte vielleicht nicht unmittelbar evident ist. Die Auseinandersetzung mit den hier verfolgten Texten in der kanonistischen Wissenschaft wird nur gestreift; das Hauptthema ist die Überlieferung einiger Kapitel des Corpus Iuris Canonici als normative Quellentexte. Die Ergebnisse der Quellenuntersuchung können aber belegen, daß wesentliche gedankliche Voraussetzungen für das System des klassischen kanonischen Rechts bereits während der Epoche vor Gratian vorhanden waren; die Quellen bezeugen *Kontinuität* nicht nur für die Textgeschichte, sondern auch für die *Problem-* und *Begriffsgeschichte* des kanonischen Rechts.

Die Ursprünge des Amtsbegriffs im klassischen kanonischen Recht

Eine quellengeschichtliche Untersuchung zum Amtsrecht und zum Archidiakonat im Hochmittelalter*

I. Einleitung

Zu den allgemein verbreiteten Überzeugungen über Rechtsstrukturen in der christlichen Kirche, zumal der römisch-katholischen Kirche, gehört die Vorstellung, daß diese Strukturen weitgehend durch den Begriff des Amtes geprägt seien. Diese Überzeugungen drücken sich in Sprachbildungen wie dem Kompositum ‚Amtskirche' aus; theologisch reflektiert führen sie zu dem Ergebnis, daß unterschiedliche Traditionen des Amtsverständnisses auch Ursache der Kirchenspaltungen gewesen seien. Daher hat sich die Frage nach dem geistlichen Amt als ein zentrales Problem der ökumenischen Bewegung erwiesen – und es war sicherlich notwendig, daß die Kommission für Glaube und Kirchenverfassung des Weltrates der Kirchen das geistliche Amt neben Taufe und Eucharistie zu einem Hauptthema machte und 1982 zur Amtsfrage ein Konvergenzdokument vorlegte, das vielleicht historisch am Anfang der Entwicklung zu einem ökumenischen Kirchenrecht stehen könnte[1]. Der Amtsbegriff ist zweifellos einer der zentralen Begriffe des Kirchenrechts, nicht zuletzt in der unterschiedlichen Tradition der Konfessionskirchen, die man in einem rechtstheologischen Vergleich erfassen könnte. Ein solcher Vergleich führt bei einer sehr groben Skizzierung zu dem Ergebnis, daß den reformatorischen Kirchen das hierarchische

---

* Vorgetragen vor der philosophisch-historischen Klasse der Bayerischen Akademie der Wissenschaften am 12. Januar 1990.

[1] Taufe, Eucharistie und Amt. Konvergenzerklärung der Kommission für Glaube und Kirchenverfassung des Ökumenischen Rates der Kirchen, Frankfurt am Main/Paderborn [10]1985.

Amtsverständnis der katholischen[2] und der orthodoxen[3] Kirche fehlt und daß innerhalb der Kirchen der Reformation die Lutheraner von einem einheitlichen Predigtamt[4] ausgehen, während die Reformierten eine Mehrzahl prinzipiell koordinierter Ämter[5] kennen.

Der Unterschied zwischen orthodoxer und römisch-katholischer Tradition in Fragen des Amtsbegriffs kann aber darin gesehen werden, daß das katholische Kirchenrecht einen Amtsbegriff entwickelte, der in seinen Abstufungen und vor allem auch in der begrifflichen Erfassung von den hierarchisch geordneten Weihegraden des Klerus getrennt wurde. Zwar sind sich katholisches und orthodoxes Verständnis nahe, sofern es um das Prinzip einer Hierarchie von Ämtern geht, die sich zumindest seit Anfang des 2. Jahrhunderts in der vor-

---

[2] *Ulrich Mosiek*, Verfassungsrecht der lateinischen Kirche, Bd. I Grundfragen, Freiburg i. Br. 1975. Als Überblick auch zu den Veränderungen im Gefolge des II. Vatikanischen Konzils bis hin zum Codex Iuris Canonici von 1983: *Georg May*, Das Kirchenamt, in: Handbuch des katholischen Kirchenrechts, hrsg. von *Joseph Listl*, *Hubert Müller*, *Heribert Schmitz*, Regensburg 1983, S. 141–153 (= §13).

[3] Auf spezifische Unterschiede im katholischen und orthodoxen Amtsverständnis kann hier nicht eingegangen werden. Jedenfalls wird in der orthodoxen Tradition das Verhältnis von Bischof und Presbyter vielleicht noch stärker als in der römisch-katholischen Kirche *hierarchisch* gesehen, da der Bischof allein in Anknüpfung an die Theologie des Ignatius als „alter Christus" betrachtet wird, cf. hierzu *John Zizioulas*, The Bishop in the Theological Doctrine of the Orthodox Church, in: Kanon VII (1985) S. 23–35 und *Carl Heinz Ratschow*, Art. Amt/Ämter/Amtsverständnis VIII. Systematisch-theologisch (2.1 Die orthodoxen Kirchen), in: TRE Bd. II (1978) S. 596–600.

[4] Cf. *Holsten Fagerberg*, Art. Amt/Ämter/Amtsverständnis VI. (Reformationszeit) und VII. (Von ca. 1600 bis zur Mitte des 19. Jahrhunderts), in: TRE Bd. II (1978) S. 552–593; ferner *Jan Aarts*, Die Lehre Martin Luthers über das Amt in der Kirche. Eine genetisch-systematische Untersuchung seiner Schriften von 1512 bis 1525 (= Schriften der Luther – Agricola – Gesellschaft 15) Helsinki 1972, besonders S. 188–209 und S. 235–245; *Wolfgang Stein*, Das kirchliche Amt bei Luther (= Veröffentlichungen des Instituts für europäische Geschichte Mainz 73) Wiesbaden 1974.

[5] Cf. *Fagerberg* (wie Anm. 4); ferner *Wilhelm Niesel*, Die Theologie Calvins, München [2]1957; *Alexandre Ganoczy*, Ecclesia ministrans: Dienende Kirche und kirchlicher Dienst bei Calvin (= Ökumenische Forschungen, hrsg. von Hans Küng und Josef Ratzinger, I: Ekklesiologische Abt., Bd. III) Freiburg/Basel/Wien 1968, bes. S. 246–329 und S. 405–408. Zu den rechtstheoretischen Problemen des Amtes allgemein: *Ralf Dreier*, Das kirchliche Amt. Eine kirchenrechtstheoretische Studie (= Jus Ecclesiasticum 15) München 1972.

konstantinischen Frühkirche ausgebildet hat[6]. Ein spezifisches Charakteristikum des abendländischen kanonischen Rechts ist aber die scharfe begriffliche Trennung von *Ordo* und *Officium*. Sie wird auch noch in der systematischen Gliederung des Codex Iuris Canonici von 1983 aufrechterhalten, in dem der Titel „De officiis ecclesiasticis" in die ‚Normae generales', den allgemeinen Teil, eingeordnet ist[7], – im Codex von 1917 stand er im Personenrecht[8] –, während der Ordo als Sakrament in Buch IV, das vor allem das Sakramentenrecht enthält, seinen systematischen Platz findet[9]. Will man einen gewagten Vergleich bemühen, so hat das Amtsrecht im kanonischen Recht des Codex etwa eine vergleichbar zentrale Stellung wie im weltlichen Zivilrecht die Rechtsgeschäftslehre. Umso wichtiger scheint es zu sein, sich als historisch arbeitender Kanonist einmal Rechenschaft darüber abzulegen, wie es zu dieser zentralen Stellung des Amtsbegriffs im kanonischen Recht gekommen ist.

Einigkeit besteht in der heutigen Forschung darüber, daß der jetzige Amtsbegriff des kanonischen Rechts im wesentlichen in der Epoche des klassischen kanonischen Rechts des 12. und 13. Jahrhunderts ausgeformt wurde. So bemerkt der Rechtshistoriker *Udo Wolter*: „Die Entwicklung des kirchlichen Amtsbegriffs steht in engem Zusammenhang mit der Entfaltung des kirchlichen Rechtswesens im hohen Mittelalter (von 1140 bis etwa 1300). In dieser Zeit gewann der Amtsbegriff klare Konturen."[10]

---

[6] *Peter Landau*, Art. Kirchenverfassungen, in: TRE Bd. XIX (1989) S. 110–165, hier 111–114. *Othmar Heggelbacher*, Geschichte des frühchristlichen Kirchenrechts bis zum Konzil von Nicäa 325, Freiburg/Schweiz 1974, bes. S. 27–35 und S. 69–74.

[7] Titulus IX im Liber I „De Normis Generalibus" mit den beiden Capita „De provisione officii ecclesiastici" (cann. 146–183) und „De amissione officii ecclesiastici (cann. 184–196) und dem Einleitungscanon 145. Im Codex Canonum Ecclesiarum Orientalium (CCEO), der keine Einteilung in Bücher hat, handelt Titulus XX „De officiis" (cann. 936–988).

[8] Liber Secundus „De Personis", Pars Prima „De clericis", Sectio I „De clericis in genere", Titulus IV „De officiis ecclesiasticis" mit den Canones 145–195.

[9] Liber IV „De ecclesiae munere sanctificandi", Pars I „De sacramentis", Titulus VI „De ordine" mit den Canones 1008–1054. Im CCEO ist Titulus XVI „De cultu divino et praesertim de sacramentis" zu vergleichen, besonders Caput VI „De sacra ordinatione".

[10] *Udo Wolter*, Amt und Officium in mittelalterlichen Quellen vom 13. bis 15. Jahrhundert. Eine begriffsgeschichtliche Untersuchung, in: ZRG Kan.

Im 12. Jahrhundert wird in der Kanonistik auch allmählich die Unterscheidung von Weihegewalt und Jurisdiktionsgewalt entwickelt, die in engem Zusammenhang mit der Herausbildung des Amtsbegriffs steht. Die Geschichte der Zweigliedrigkeit kirchlicher Gewalten hat *Klaus Mörsdorf* mehrfach in seinem wissenschaftlichen Lebenswerk behandelt[11]. Sie soll in unserem Zusammenhang nicht näher untersucht werden. Mir geht es vielmehr darum, in diesem Beitrag zu thematisieren, welche Quellen das Corpus Iuris Canonici, dieses einzigartige ‚book of authority' im kanonischen Recht des Mittelalters, bei seiner Bestimmung des Amtsbegriffs verwendet hat. Ich will eine quellengeschichtliche Untersuchung vorlegen und hieran einige Gedanken anknüpfen.

II. Amtsbestimmungen im Corpus Iuris Canonici

Bekanntlich ist der erste Teil des Corpus Iuris Canonici das um 1140 entstandene Dekretbuch des Magisters Gratian, das sogenannte

---

Abt. 74 (1988) S. 246–280, hier S. 249. Zur Potestates-Lehre Gratians: *Adam Zirkel*, „Executio Potestatis". Zur Lehre Gratians von der geistlichen Gewalt (= Münchener Theologische Studien, Kanonistische Abteilung 33) St. Ottilien 1975. In dem Art.: Amt, kirchliches von *Heribert Heinemann* in: Lexikon des Mittelalters, Bd. I (1980) col. 559–561 wird ein „ausgeprägtes rechtliches Verständnis" des Amtsberiffs auf die Mitte des 13. Jahrhunderts datiert; in frühen kanonistischen Texten sei der Begriff „officium" ausschließlich den liturgischen Funktionen geweihter Amtsträger vorbehalten.

[11] *Klaus Mörsdorf*, Die Entwicklung der Zweigliedrigkeit der kirchlichen Hierarchie, in: Münchener Theologische Zeitschrift 3 (1952) S. 1–16; wiederabgedruckt in: *ders.*, Schriften zum Kanonischen Recht, hrsg. von *Winfried Aymans/ Karl-Theodor Geringer/Heribert Schmitz*, Paderborn/München/Wien/Zürich 1989, S. 187–202. *Ders.*, Munus regendi et potestas iurisdictionis, in: Acta Conventus Internationalis Canonistarum Romae diebus 20–25 maii 1968 celebrati, 1970, S. 199–211; wiederabgedruckt in: *ders.*, Schriften zum Kanonischen Recht (wie oben) S. 216–228. Zur Begriffsgeschichte zusammenfassend *Jean Gaudemet*, Pouvoir d'ordre et pouvoir de jurisdiction. Quelques repères historiques, in: L'Année Canonique 29 (1985/86) S. 83–98 (= *ders.*, Droit de L'Église et vie sociale au Moyen Age, Northampton 1989, no. VII) mit ausführlicher Bibliographie. Rechtstheoretische Probleme der potestas sacra im CIC/1983 werden diskutiert von: *Winfried Aymans*, Oberhirtliche Gewalt, in: Archiv für katholisches Kirchenrecht 157 (1988) S. 3–38 wie auch bald nach der Promulgation dieses Codex von *Hubert Müller*, Zur Frage nach der kirchlichen Vollmacht im CIC/1983, in: Österreichisches Archiv für Kirchenrecht 35 (1985) S. 83–106.

Decretum Gratiani. Vergeblich sucht man in diesem großangelegten Werk von fast 4000 Texten nach einem eigenen Abschnitt über Ämter. Gratian behandelt das kirchliche Amt im Zusammenhang mit der Weihe. Nachdem er in seiner Distinctio 25 (Dict. Grat. ante D.25, c. 1) erläutert hat, daß ein Ordinand – ein zu Ordinierender – geprüft werden müsse – ‚quod nullus sine examinatione ordinandus sit' –, folgt unmittelbar ein Diskurs über die Amtspflichten der Geweihten: „Quod episcopi et ceterorum sit in ecclesia offitium" (D.25, c. 1). In diesem Zusammenhang bringt Gratian eine einzige grundlegende Rechtsquelle, den angeblichen Brief des Isidor von Sevilla an den Bischof Leudefredus von Cordoba, die sogenannte ‚Epistola ad Leudefredum'[12]. Dieser Text stammt wohl nicht von Isidor, sondern von einem unbekannten Autor aus dem westgotischen Spanien[13]; er war im 9. Jahrhundert mit den pseudoisidorischen Fälschungen verbunden worden und hatte seitdem weite Verbreitung als klassischer Text des kanonischen Rechts gefunden, so z. B. über Burchard von Worms[14] und die Sammlungen des Ivo von Chartres[15]. Gratian behandelt die Epistola wie eine Grundnorm der Kirchenverfassung; er bemerkt im Anschluß an dieses Kapitel: „Ex hac epistola liquet, quid cuiusque offitii sit" (Dict. Grat. post D.25, c. 1).

Der Brief enthält nun aber keineswegs eine prinzipielle Trennung der Officia von den Weihegraden; ganz im Gegenteil. Der Autor des Briefes will auseinandersetzen, ‚qualiter ecclesiastica offitia ordinentur'; er behandelt aber dann zunächst vom Ostiarier bis zum Bischof die einzelnen Weihestufen, handelt ‚de omnibus ecclesiae gradibus'.

---

[12] Decretum Gratiani hier und im Folgenden nach der Ausgabe: Decretum Magistri Gratiani, ed. *Emil Friedberg*, Leipzig 1879, Nd 1959 (= Corpus Iuris Canonici, Editio Lipsiensis Secunda, pars 1). Der Text der Epistola ist ediert bei: *Roger E. Reynolds*, The ‚Isidorian' Epistula ad Leudefredum: An Early Medieval Epitome of the Clerical Duties, in: Mediaeval Studies 41 (1979) S. 252–330, hier S. 260–262. Zur Überlieferung der Epistola cf. auch *Donald Edward Heintschel*, The Medieval Concept of an Ecclesiastical Office. An Analytical Study of the Concept of an Ecclesiastical Office in the Major Sources and Printed Commentaries from 1140–1200 (= Canon Law Studies 363) Washington D. C. 1956, S. 26–30.

[13] So jedenfalls *Reynolds* (wie Anm. 12).

[14] Burchard von Worms, Decretum III.50 (PL 140, col. 681–682).

[15] Ivo von Chartres, Decretum VI.20 (PL 161, col. 448–450); Ivo von Chartres, Panormia III.41 (PL 161, col. 1137–1140); Ivo von Chartres, Tripartita III.11.1.

Im Anschluß daran nennt er einzelne Ämter vom Archidiakon bis zum Thesaurarius, die nicht mit spezifischen Weihegraden zusammenfallen; sie gehören nicht zu den ,ordines et ministeria clericorum', sind aber mittelbar auf die Kleriker verschiedener Weihegrade bezogen, da letztere aufgrund bischöflicher Autorität jeweils Amtsinhabern dieser zweiten Kategorie zugeordnet bzw. unterstellt sind. Die sekundäre Amtshierarchie vom Archidiakon abwärts ist somit in die Weihehierarchie eingeordnet. Die Epistola ad Leudefredum und ihr folgend Gratian kennen kein von der Weihehierarchie getrenntes Amtsrecht. Die Officia sind hier im Ansatz *liturgische* Ämter[16].

Ganz anders sieht es etwa ein Jahrhundert nach Gratian im Liber Extra Papst Gregors IX. aus, jener großen ergänzenden Rechtssammlung, in der sich die Entwicklung des kanonischen Rechts in seiner Blütezeit spiegelt. Das erste Buch dieses bedeutendsten Codex des Mittelalters ist der Rechtsquellenlehre, also den Texten zu Gesetz und Gewohnheitsrecht, außerdem aber dem Personenrecht der Amtsinhaber einschließlich der Richter gewidmet. Dieses erste Buch ist ein Klassiker in der Geschichte des Beamtenrechts, als solcher auch heute noch keineswegs in modernen Darstellungen der Verwaltungsgeschichte ausreichend gewürdigt. Es handelt von der Wahl zu Ämtern, von der Versetzung und dem Amtsverzicht, von der Amtshilfe (Tit. X) und dann in 11 Titeln von insgesamt 43 des ersten Buches vom Recht der Ordination (Tit. XI–XXII). Darauf folgt jedoch eine Serie von 10 Titeln, die nach einzelnen nicht liturgisch differenzierten Ämtern gegliedert sind und jeweils mit „De officio" eingeleitet werden – von ,De officio archidiaconi' (Tit. XXIII) bis zu ,De officio iudicis' (Tit. XXXII). Die hier genannten Ämter stimmen in keinem Fall mit einer Weihestufe überein – schon die Gliederung dieses ersten Buches trennt Ordo eindeutig von Officium.

Das Dekretalenrecht setzt somit 1234 bereits eine Systematik des Amtsrechts voraus, die für die Gliederung des kanonischen Rechts seitdem maßgebend geblieben ist.

---

[16] Zur Verwendung des Begriffs ,officium' im gratianischen Dekret cf. allgemein *Heintschel* (wie Anm. 12) S. 16–25, der auch bei der Analyse anderer Gratiankapitel eine weitgehende Austauschbarkeit der Begriffe ordo und officium feststellt. Ähnlich die Ergebnisse bei *Robert L. Benson*, The Bishop-Elect. A Study in Medieval Ecclesiastical Office, Princeton N. J. 1968, S. 45–55 – in bezug auf den Begriff ,officium' stellt Benson fest: „Gratian improvised endlessly" (S. 55).

Ist nun diese Gliederung in Titel nach einzelnen Ämtern eine Erfindung des Gesetzesredaktors Gregors IX., Raimunds von Peñafort? Wer die Geschichte der Dekretalensammlungen, d.h. der für das päpstliche ius novum nach Gratian maßgeblichen Rechtsbücher, kennt, wird dies schon ohne nähere Nachprüfung für unwahrscheinlich halten. In der Tat beherrscht dieses Gliederungsprinzip bereits die an den Universitäten vor 1234 für das Rechtsstudium zugrundegelegten *Compilationes antiquae*, die zwischen 1188 und 1226 entstandenen fünf Sammlungen päpstlichen Rechts, aus denen Raimund ganz überwiegend sein Material bezogen hat. Jede dieser Sammlungen hat Titel mit der Rubrik „De officio" im Buch I: So weist die Compilatio I neun Abschnitte dieser Art auf, die Compilatio III vier, die Compilatio II enthält drei solcher Titel, die Compilatio IV ebenfalls drei und die Compilatio V schließlich vier dieser Titel[17].

Ebenso wie die Einteilung der kirchlichen Gesetzessammlungen in fünf Bücher geht die Verwendung von Titeln „De officio" offenbar auf die Compilatio I zurück, das Breviarium des Bernhard von Pavia. Bernhard hat auch bereits in der Compilatio I dieselbe Gliederung und Reihenfolge der Ämter wie später Raimund – letzterer hat nur einen einzigen Titel „De officio iudicis" neu formuliert. Die Behandlung des Amtsrechts in einem vom Weiherecht getrennten Block von Titeln geht also zumindest bis auf den Kanonisten Bernhard von Pavia zurück, einen der wichtigsten Autoren in der Geschichte des kanonischen Rechts, bedeutend als Sammler, als Lehrbuchverfasser und als Autor grundlegender Monographien zum Wahl- und Eherecht[18]. Wenn Bernhard in seinem Breviarium Titel mit der Rubrik „De officio" bildete, hatte er insofern Vorbilder oder war er der erste in dieser Hinsicht ?

---

[17] Comp. I: 1.15–23; Comp. III: 1.17–20; Comp. II: 1.12–14; Comp. IV: 1.11–13; Comp. V: 1.13–16. Zur Gliederung dieser Sammlungen cf. die Teiledition von *Aemilius Friedberg*, Quinque Compilationes antiquae nec non Collectio Canonum Lipsiensis, Leipzig 1882, Nd Graz 1956.

[18] Den besten Überblick über die Bedeutung Bernhards für das kanonische Recht vermittelt *Gabriel Le Bras*, Art. Bernard de Pavie, in: Dictionnaire de droit canonique Bd. II (1937) S. 782–789. Neuere Literatur ist verzeichnet bei *Hans van de Wouw*, Art. Bernhard von Pavia, in: Lexikon des Mittelalters, Bd. I (1980) col. 2002.

Seit der modernen Erforschung der Dekretalensammlungen wissen wir, daß es bereits vor der Compilatio I systematisch angelegte Dekretalensammlungen gab. Die ersten entstanden etwa im Jahrzehnt vor Bernhards Breviarium – die Entstehungsorte lagen in Italien, Frankreich und England. Zum Forschungsstand habe ich 1979 einen zusammenfassenden Bericht mit Überlegungen zur Interdependenz dieser wichtigen Produkte kanonistischer Literatur gegeben[19]. Gegen meine damals formulierten Thesen wurde in der Fachwelt Widerspruch nicht angemeldet. Auf eine meiner Thesen muß ich in diesem Zusammenhang zurückkommen: Ich hatte seinerzeit zwei anonym überlieferte systematische Sammlungen, nämlich die Collectio Parisiensis II und die Collectio Lipsiensis, Bernhard von Pavia als Autor zugewiesen. Die Collectio Parisiensis II entstand zwischen 1177 und 1179, die Lipsiensis um 1185 – nach meiner These hat Bernhard folglich dreimal in seinem Leben Gesetzessammlungen für seine Lehrtätigkeit angelegt. In unserem Zusammenhang des Amtsrechts ist nun wichtig, daß sowohl die Parisiensis II als auch die Lipsiensis ebenso wie die Compilatio I eigene Titel über einzelne Ämter bringen. Vergleichen wir diese drei Sammlungen mit den übrigen zeitgenössischen systematischen Dekretalensammlungen, so läßt sich leicht feststellen, daß bei diesen anderen Sammlungen nur vereinzelt Titel mit der Rubrik „De officio" begegnen, ausschließlich im Zusammenhang mit dem gerichtlichen Verfahren und dem ‚officium' eines kirchlichen Richters. Dagegen ist die Reihenfolge der Titel der Compilatio I sowohl in der Parisiensis II als auch in der Lipsiensis ganz klar vorgeformt. Das ist ein zusätzliches Argument dafür, daß Bernhard alle drei Sammlungen angelegt haben muß. Nehmen wir die zeitlich erste Sammlung, die noch vor dem dritten Laterankonzil (1179) durch Bernhard kompilierte Parisiensis II, so finden wir fünf Titel mit der Rubrik „De officio", die alle in der Compilatio I und im Liber Extra wiederkehren, so daß wir hier die erste systematische Strukturierung einer Ämterhierarchie im kanonischen Recht vor uns haben: 1.) „De officio archidiaconi", 2.) „De officio archipresbiteri", 3.) „De officio primicerii", 4.) „De officio sacristae", 5.) „De officio

---

[19] *Peter Landau*, Die Entstehung der systematischen Dekretalensammlungen und die europäische Kanonistik des 12. Jahrhunderts, in: ZRG Kan. Abt. 65 (1979) S. 120–148.

custodis“[20]. Diesen Titeln entsprechen die Titel 23–27 von Buch I des Liber Extra.

Natürlich hat der Liber Extra aus der Zeit Gregors IX. zu den Themen dieser Titel manche Dekretalen von Päpsten nach 1179 aufgenommen (Alexander III., Innocenz III., Honorius III.). Der Hauptbestand der Kapitel dieser Titel bei Raimund steht aber bereits in der Collectio Parisiensis II, nämlich 10 von insgesamt 18 Kapiteln[21], und diese 10 Kapitel sind auch alles, was in die Parisiensis II zu den Titeln des Amtsrechts aufgenommen wurde. Man ist daher gespannt zu erfahren, wo Bernhard überhaupt zu Fragen des Amtsrechts für seine erste Dekretalensammlung Texte finden konnte. Woher kommen die 10 Kapitel der Parisiensis II? Hat Bernhard auf Dekretalen des zeitgenössischen Papstes Alexanders III. zurückgreifen können? Das ist von vornherein unwahrscheinlich, da die Dekretalen dieses Papstes – etwa 700 sind uns noch heute überliefert – überwiegend Fallentscheidungen enthalten, typisches ‚Case law‘. Zum Amtsrecht gehören aber *Kompetenzbestimmungen* in allgemeiner Form, die man in Dekretalen dieser Periode nur ausnahmsweise finden kann. Geht man nun die Kapitel der Parisiensis II durch, so macht man die überraschende Feststellung, daß alle Kapitel mit einer Ausnahme sogenannte *Incerta* sind, d. h. apokryphe Texte, die in der Parisiensis II mit einer unzutreffenden Herkunftsangabe versehen sind, nämlich „ex libro romani ordinis“, „ex Concilio Tolletano“, „Leo papa“. Die einzige Ausnahme bildet ein Konzilskanon des Konzils von Ravenna 898[22], der sich mit dem Amt des in Italien aufgrund

---

[20] Parisiensis II: Tit. 5–9 – cf. *Emil Friedberg*, Die Canones-Sammlungen zwischen Gratian und Bernhard von Pavia, Leipzig 1897, Nd Graz 1958, S. 33. Dem entspricht Collectio Lipsiensis Tit. 33 – cf. *Friedberg*, Quinque Compilationes (wie Am. 17) S. 197f.

[21] Cf. die Angaben bei *Friedberg*, Canones-Sammlungen (wie Anm. 20) S. 33.

[22] Cf. *Wilfried Hartmann*, Die Synoden der Karolingerzeit im Frankenreich und in Italien, Paderborn/ München/ Wien/ Zürich 1989 (= Konziliengeschichte, hrsg. von *Walter Brandmüller*, Reihe A: Darstellungen) S. 390–395 informiert über die Überlieferungslage. Auffallend ist, daß die Kanones von Ravenna in der Handschrift Vercelli XV der Collectio Anselmo dedicata auftauchen (fol. 91v), die auch in der Überlieferung der hier zu behandelnden anonymen Texte eine Rolle spielt. Bernhard von Pavia, der nachweislich die Collectio Anselmo dedicata kannte, dürfte den Kanon von Ravenna einer Handschrift dieser Sammlung entnommen haben; er bringt ihn in der Compilatio I mit folgender Inskription:

des Taufkirchensystems weit verbreiteten *Landarchipresbyters* befaßt, das in den sonst in der Parisiensis II rezipierten Amtstexten keine Erwähnung gefunden hatte. Alle anderen Normen – die Kapitel über den Archidiakon, den städtischen Archipresbyter, den Primicerius, den Sacrista (Schatzmeister) und den Custos – gehen ausnahmslos weder auf Konzilscanones noch auf päpstliche Dekretalen zurück; sie beschreiben die Aufgaben, die von den Inhabern der einzelnen Ämter wahrzunehmen sind und stellen folglich apokryphe Kompetenznormen dar, die die hierarchische Gliederung eines städtischen Klerus widerspiegeln. Der apokryphe Ursprung dieser Texte hat nicht verhindert, daß sie in allen späteren Rechtssammlungen tradiert wurden.

Die erwähnten 9 Kapitel, über deren Inhalt man sich am bequemsten in Friedbergs Corpus Iuris Canonici-Ausgabe informieren kann[23], enthalten klare Prinzipien der Über- und Unterordnung für den städtischen Klerus. An der Spitze steht der *Archidiakon*, der bei Gratian noch recht stiefmütterlich behandelt wurde, obwohl er im frühen Mittelalter zum mächtigsten Amtsinhaber nach dem Bischof, gelegentlich sogar in Konkurrenz zu diesem, geworden war[24]. Über ihn wird gesagt: „Ut archidiaconus post episcopum sciat se vicarium esse eius in omnibus, et omnem curam in clero, tam in urbe positorum, quam eorum, qui per parochias habitare noscuntur, ad se pertinere" (X. 1.23.1). Er hat folglich eine umfassende Kompetenz, ist eine Art von alter ego des Bischofs. Ausdrücklich wird hervorgehoben, daß der Wirkungskreis des Archidiakons sich auch auf die Landpfarreien erstrecke – eine Aufteilung der Diözese in einzelne Archidiakonatsbezirke wie jenseits der Alpen ist in den hier rezipierten

---

„Item ex sinodo Ravennae habita a Johanne Papa XII. [!] et Lamberto Imp." [Comp. I 1.16.5 – Quinque Compilationes (wie Anm. 17) S. 7] – dem entspricht die Inskription in MS Vercelli XV (cf. *Hartmann*, op. cit. S. 391, Anm. 11).

[23] Decretalium Collectiones, ed. *Emil Friedberg* (= Corpus Iuris Canonici, Editio Lipsiensis secunda, pars 2) Leipzig 1879 (Nd Graz 1959), col. 149–156.

[24] Zur Vorgeschichte dieses Amtes vgl. *Alfred Schröder*, Entwicklung des Archidiakonats bis zum elften Jahrhundert, Augsburg 1890. Umfassende Angaben zur Geschichte bei *A. Amanieu*, Art. Archidiacre, in: Dictionnaire de droit canonique Bd. I (1935) col. 948–1004. Mehrere Archidiakone in einer Diözese begegnen in westfränkischen Bistümern seit dem 9. Jahrhundert; eine Aufteilung in Archidiakonatsbezirke ist seit dem 10. Jahrhundert bezeugt; cf. *Amanieu*, l. c., col. 961–964. Zum Archidiakon cf. auch *Heintschel* (wie Anm. 12) S. 62–64.

Texten nicht bekannt. Rechtsstreitigkeiten innerhalb des Klerus soll der Archidiakon entscheiden. In Vertretung des Bischofs nimmt er Visitationen in der gesamten Diözese vor.

An zweiter Stelle wird der *Archipresbyter* genannt. Er hat Aufsichtspflichten hinsichtlich der Seelsorgepraxis über alle anderen Presbyter und muß vor allem dafür sorgen, daß die Sakramente stets gespendet werden können. Ihm sind vor allem die ‚sacerdotes cardinales' untergeordnet, unter denen wohl das Presbyterkollegium in enger Beziehung zum Bischof zu verstehen ist. Obwohl der Archipresbyter in der Weihehierarchie im Regelfall über dem Archidiakon steht – der allerdings im Mittelalter häufig die Priesterweihe erhielt[25] – ist er *amtsrechtlich* dem Archidiakon untergeordnet; er muß dem Archidiakon ebenso wie dem Bischof gehorchen. Das wird in folgender prinzipieller Formulierung zum Ausdruck gebracht: „Ut archipresbyter sciat se subesse archidiacono, et eius praeceptis sicut sui episcopi obedire ..." (X. 1.24.1). Diese Rangordnung weicht deutlich von derjenigen in der Epistola ad Leudefredum ab.

Der *Primicerius* untersteht wie der Archipresbyter dem Archidiakon. Das Amt wird bereits in der Kanonikerregel des Chrodegang von Metz im 8. Jahrhundert erwähnt[26]. In dem von Bernhard aufgenommenen Kapitel erscheint der Primicerius als Geistlicher mit Lehraufgaben – ‚er mag den Unterricht der jüngeren Kleriker geleitet haben', wie Hinschius mit Hinweis auf unser Kapitel bemerkt[27].

Auch beim Amt des *Sacrista* wird die Unterordnung unter den Archidiakon erwähnt. Er hat für die liturgischen Geräte und den Kirchenschatz zu sorgen; sein Amt wird von dem des Custos unterschieden.

---

[25] *Amanieu* (wie Anm. 24) col. 962 nimmt an, daß zuerst im 9. Jahrhundert Archidiakonen die Priesterweihe erteilt wurde; ferner ebenda col. 976–978 über die Entwicklung vom 10. bis 12. Jahrhundert. Zum Archipresbyter cf. auch *Heintschel* (wie Anm. 12) S. 64–66.

[26] S. Chrodegangi Metensis Episcopi (742–766) Regula Canonicorum, hrsg. von *Wilhelm Schmitz*, Hannover 1889, Nr. XXV „De archidiacono vel primicerio" S. 16–17.

[27] *Paul Hinschius*, System des katholischen Kirchenrechts mit besonderer Rücksicht auf Deutschland, 2. Bd., Berlin 1878, S. 97 (= *Paul Hinschius*, Das Kirchenrecht der Katholiken und Protestanten in Deutschland, II. Bd.). Zum Primicerius cf. auch *Heintschel* (wie Anm. 12) S. 66–68.

Der *Custos* muß die Kirche insgesamt in Ordnung halten und hat dabei z. B. für die ausreichende Beleuchtung der Kirche ohne Energieverschwendung zu sorgen – „ne aut supra modum lucendo oleum depereat, aut minus lucendo obscurior sit ecclesia“ (X. 1.27.1). Auch bei Sacrista und Custos wird besonders hervorgehoben, daß sie dem Archidiakon in allem zu gehorchen hätten[28]. Das gesamte Amtsrecht dieser Titel ist also auf die Figur des Archidiakons zentral ausgerichtet, wobei der Archidiakon selbst als Repräsentant des Bischofs bestimmt wird. Die hier vorausgesetzte Organisationsstruktur ist von der Einheit des Bistums her gedacht und erwähnt weder überdiözesane noch innerdiözesane synodale Strukturen.

III. Die Collectio de ecclesiasticis officiis als Quelle in ihrer handschriftlichen Überlieferung

Die kirchlichen Ämter werden von Bernhard von Pavia in der Collectio Parisiensis II zum ersten Mal in einer systematischen Rechtssammlung nacheinander aufgeführt. Wo hat Bernhard aber die entsprechenden Kapitel finden können, um seine amtsrechtlichen Titel zu füllen? Diese Frage konnte *Emil Friedberg*, der 1897 die quellenkritische Analyse der Collectio Parisiensis II vorlegte, noch nicht beantworten[29]; ebensowenig *Paul Hinschius*, der in seinem monumentalen ‚Kirchenrecht‘ mehrfach auf die hier behandelten Kapitel zurückkam, sie aber mit einem Fragezeichen zitierte[30].

Eine Lösung des Rätsels wurde durch einen wichtigen Aufsatz von *Augusto Gaudenzi*[31] 1916 angebahnt, der im Zusammenhang mit For-

---

[28] Zum Sacrista und Custos cf. auch *Heintschel* (wie Anm. 12) S. 68.

[29] Cf. *Friedberg*, Canones-Sammlungen (wie Anm. 20) S. 21–45. *Heintschel* (wie Anm. 12) erwähnt die Kapitel auf S. 61, Anm. 16 und bezeichnet ihre Quellen als ‚enigma to the historian‘.

[30] *Paul Hinschius* (wie Anm. 27), S. 97, Anm. 12, S. 103, Anm. 2 und 3, S. 192, Anm. 8; ferner *ders.*, System des katholischen Kirchenrechts mit besonderer Rücksicht auf Deutschland, 1. Bd., Berlin 1869 (= *Paul Hinschius*, Das Kirchenrecht der Katholiken und Protestanten in Deutschland, I. Bd.) S. 360, Anm. 7.

[31] *Augusto Gaudenzi*, Il Monastero di Nonantola, il ducato di Persiceta e la Chiesa di Bologna [III], in: Bullettino dell'Istituto storico Italiano 36 (1916) S. 313–570, darin: Appendice prima: Sui codici di Adriano III venuti a Nonantola e le falsificazioni romane del 769, S. 313–409, hier S. 395–398.

schungen zum Kloster Nonantola auf einige unserer Kapitel gestoßen war. Gaudenzi stellte fest, daß sie in einem von ihm in 7 Kapitel aufgeteilten Traktat vorkamen, den er mit jeweils unterschiedlichem Umfang in 3 Handschriften aufgefunden hatte, in denen er stets den Anhang zu einer Canones-Sammlung bildete:

1. in einem Codex der norditalienischen Collectio Anselmo dedicata in Vercelli (*Vercelli Bibl. cap. Euseb. XV*);
2. in einem Codex des Dekrets Burchards von Worms in Pistoja (*Pistoja Bibl. cap. C 140*);
3. in einem Codex von Ivos Panormie in der Marciana in Venedig (*Bibl. Naz. Marc. IV.41*).

Die Texte dienen hier also der Ergänzung von Kanonessammlungen, die in Italien verbreitet waren, sie werden demnach als notwendiger Bestandteil des geltenden Kirchenrechts von den dortigen Sammlern betrachtet. Inzwischen ist es besonders dem kanadischen Historiker *Roger Reynolds*[32] gelungen, die Gaudenzi-Kapitel vollständig oder zumindest teilweise noch in anderen kanonistischen Sammlungen vornehmlich des frühen 12. Jahrhunderts nachzuweisen. Sie scheinen aus einer *Collectio de ecclesiasticis officiis* zu stammen, die mit unterschiedlichem Umfang in zahlreichen Kanonessammlungen überliefert wird – gelegentlich mit bis zu 14 Kapiteln. Diese Collectio, die wohl aus ursprünglich getrennt komponierten und überlieferten Bestandteilen erwachsen ist, die man als Ämtertraktate klassifizieren muß, wird jedenfalls in den Kanonessammlungen jeweils als größerer oder kleinerer Block zusammen überliefert und soll im folgenden mit der Sigle CEO (Collectio de ecclesiasticis officiis) bezeichnet werden. Überlieferungen der CEO enthalten folgende Handschriften von Kanonessammlungen:

1. 3 Handschriften der kurz nach 1100 entstandenen Sammlung *Polycarp*, die der sogenannten französischen Handschriftengruppe angehören, während die Sammlung selbst in Italien entstanden ist (Vat. Reg. lat. 987, Vat. Reg. lat. 1026, Paris B. N. lat. 3881)[33] – hier ist es möglich, daß die Ergänzung des Polycarp in Italien oder in Frankreich erfolgte;

---

[32] *Reynolds* (wie Anm. 12) S. 271–272.

[33] Zur Sammlung Polycarp cf. *Uwe Horst*, Die Kanonessammlung Polycarpus des Gregor von S. Grisogono. Quellen und Tendenzen (= Monumenta Germa-

2. eine Handschrift (Vat. lat. 3831) der *Sammlung in 3 Büchern*, die eine der Hauptquellen Gratians gewesen ist und um 1111–1120 entstand – hier tauchen die Texte nur in spezifischen Zusätzen der vatikanischen Handschrift dieser Sammlung auf, einem Manuskript, das sich im 12. Jahrhundert im libanesischen Sidon befand, während die Sammlung selbst mittelitalienischen Ursprungs ist und wohl in der Toskana mit Benutzung des Polycarp, der 74-Titel-Sammlung und des Anselm von Lucca angelegt wurde [34];
3. die Sammlung in 5 Büchern der Handschrift *Vat. lat. 1348* – diese Sammlung wurde vielleicht gegen Ende des Pontifikats Gregors VII. zwischen 1080 und 1085 oder später um 1100 angelegt[35]; die

niae Historica, Hilfsmittel 5) München 1980, hier S. 11–13 zu den Handschriften und zu der französischen Gruppe. Zu den Handschriften des Polycarp ferner *Paul Fournier*, Les deux recensions de la collection canonique romaine dite le ⟪Polycarpus⟫, in: Mélanges d'archéologie et d'histoire de l'École française de Rome 37 (1918/19) S. 55–101 (= *ders.*, Mélanges de droit canonique 2, ed. Theo Kölzer, Aalen 1983, S. 703–749) hier S. 706–708 des Aalener Nachdrucks. Fournier nimmt bei MS Paris 3881 italienischen Ursprung an. Zu den Handschriften auch *Horst Fuhrmann*, Zwei Papstbriefe aus der Überlieferung der Rechtssammlung ‚Polycarpus', in: Aus Reichsgeschichte und Nordischer Geschichte (Festschrift für *Karl Jordan*) hrsg. von *Horst Fuhrmann, Hans Eberhard Mayer, Klaus Wriedt* (= Kieler Historische Studien 16) Stuttgart 1972, S. 131–140, hier S. 133, Anm. 8. Die CEO ist in den Polycarp-Handschriften in folgendem Umfang überliefert: 1.) Lips. 33.3, 2.) X 1.23.1, 3.) X 1.23.2, 4.) X 1.24.1, 5.) X 1.25.1, 6.) X 1.26.1, 7.) Sicut in clero – videatur [= *Gaudenzi* (wie Anm. 31) S. 398], 8.) Lips. 33.5.

[34] Zu dieser Sammlung und der Handschrift Vat. 3831 zuerst *Paul Fournier*, Une collection canonique italienne du commencement du XIIe siècle, in: Annales de l'enseignement supérieur de l'Université de Grenoble 6 (1894) S. 343–438; ferner *Paul Fournier – Gabriel Le Bras*, Histoire des collections canoniques en occident II, Paris 1932, S. 198–203; *John Erickson*, The Collection in Three Books and Gratian's Decretum, in: Bulletin of Medieval Canon Law N. S. 2 (1972) S. 67–75 und *Giuseppe Motta*, Osservazioni intorno alla Collezione Canonica in tre libri (MSS C 135 Archivio Capitolare di Pistoia e Vat. lat. 3831), in: Proceedings of the Fifth International Congress of Medieval Canon Law, Salamanca 21–25 September 1976, hrsg. v. *Antonio Garcia y Garcia* (= MIC, Ser. C, Vol. 6) Città del Vaticano 1980, S. 51–65 – hier zum Ursprung der Sammlung in Pistoja S. 61. Die CEO wird im Anhang zu dieser Sammlung in MS Vat. 3831 folgendermaßen rezipiert: 1.) X 1.23.1, 2.) X 1.24.1, 3.) X 1.26.1, 4.) X 1.25.1, 5.) Lips. 33.5.

[35] Zu dieser Sammlung zuerst *Viktor Wolf von Glanvell*, Die Canonensammlung des Cod. Vatican. 1348, in: Sitzungsberichte der k. k. Akademie Wien,

einzige Handschrift der Collectio befand sich im Mittelalter im Besitz des florentinischen Klosters Santa Maria degli Angeli; neuere Forschungen von *Giuseppe Motta* haben gezeigt, daß die Sammlung von der früher entstandenen toskanischen Sammlung in 183 Titeln abhängig ist[36], so daß die Toskana auch als das Gebiet für die Entstehung der Sammlung in 5 Büchern angenommen werden muß;

4. eine Handschrift der Sammlung des Anselm von Lucca in der Laurentiana in Florenz, die aus dem dortigen Kloster San Marco stammt und am Anfang Kapitel der CEO als Ergänzung bringt[37]. Diese Handschrift gehört derjenigen Redaktion des Anselm an, die ich als A' bezeichnet habe und die meiner Ansicht

---

Phil.-hist. Kl. 136 (1896/97) S. 1–55; ferner *Fournier – Le Bras* II (wie Anm. 34) S. 131–135: „un canoniste italien, probablement toscan" (S. 135); Analyse der Sammlung von *Giuseppe Motta* (ed.), Liber canonum diversorum sanctorum patrum sive Collectio in CLXXXIII titulos digesta (= MIC, Ser.B, vol. 7) Città del Vaticano 1988 – dort als Appendix die ‚Collectio canonum in quinque libris', S. 303–324. Die CEO wird hier als Titel 42 von Buch I – „De diversis ordinibus in ecclesia ad eam gubernandam positis" – im Umfang von 14 Kapiteln rezipiert; cf. *Motta*, S. 305 und S. 308–310. Das von Motta nicht identifizierte Kapitel 14 entspricht Lips. 33.5 und stammt vom Konzil von Mérida 666, cf. unten Anm. 93 u. 116. Zu MS Vat. lat. 1348 cf. auch *Stephan Kuttner-Reinhard Elze*, A Catalogue of Canon Law and Roman Law Manuscripts in the Vatican Library, vol. I (= Studi e Testi 322) Città del Vaticano 1986, S. 106–108.

[36] Diese Sammlung wurde zuerst unter dem Namen ‚Collection de Santa Maria Novella' von *Paul Fournier* beschrieben, cf. *Fournier-Le Bras* II (wie Anm. 34) S. 151–155; eine vollständige Edition der Sammlung bei *Motta* (wie Anm.35) S. 1–302 mit ausführlicher Einleitung S. XVII–LXVII. Auf zwei weitere Handschriften der Sammlung gegenüber der von Fournier benutzten wies zuerst Mordek hin – cf. *Hubert Mordek*, Handschriftenforschungen in Italien, in: Quellen und Forschungen aus italienischen Archiven und Bibliotheken 51 (1971) S. 626–651, hier S. 629f., Anm. 7.

[37] Die Handschrift Bibl. Med. Laur. San Marco 499 wurde als Codex der Sammlung des Anselm von Lucca von Hubert Mordek und Gérard Fransen unabhängig voneinander identifiziert – cf. *Mordek* (wie Anm. 36) S. 628 mit Anm. 6. Zu dieser Handschrift auch mein Beitrag: *Peter Landau*, Erweiterte Fassungen der Kanonessammlung des Anselm von Lucca aus dem 12. Jahrhundert, in: Sant'Anselmo, Mantova e la lotta per le investiture, hrsg. von *Paolo Golinelli* (= Atti del Convegno Internazionale di Studi Mantova 1986) Bologna 1987, S. 323 – 338, hier S. 327. Die Kapitel der CEO sind auf fol. 7r–v eingefügt; es sind folgende: 1.) X 1.24.2, 2.) Lips. 33.3, 3.) X 1.27.1.

nach von Gratian benutzt wurde, also in Mittelitalien verbreitet gewesen sein muß[38]. Die Provenienz der Handschrift weist auch hier auf die Toskana, wo das Supplement eingefügt worden sein könnte;

5. die Handschrift 43 der Biblioteca Comunale von Cortona, die die CEO-Kapitel besonders vollständig bringt, insgesamt 12 Texte und dazwischen ein Exzerpt aus der Epistola ad Leudefredum[39]. Dieses Manuskript ist eines von insgesamt drei der mittelitalienischen Sammlung in 7 Büchern – die anderen Handschriften sind Wien Ö. N. B. 2186 und Vat. lat. 1346. Auch bei dieser Sammlung nimmt die Forschung seit *Paul Fournier* einen Ursprung in Mittelitalien an[40]; das Manuskript von Cortona dürfte bald nach 1122 geschrieben worden sein, da es den Text des Wormser Konkordats enthält. Das Vorkommen der CEO in MS Cortona 43 wurde bisher meines Wissens nicht bemerkt; ich konnte es bei einer Untersuchung der Handschrift 1989 feststel-

---

[38] Zu der von mir mit der Sigle A' bezeichneten Rezension der Sammlung des Anselm von Lucca cf. *meinen* Beitrag (wie Anm. 37) S. 327f.

[39] Die CEO ist auf fol. 22r–24r von MS Cortona 43 erhalten. In MS Cortona 43 werden die Kapitel der CEO in folgender Reihung gebracht: 1.) Lips. 33.5, 2.) Lips. 33.3, 3.) X 1.23.1, 4.) X 1.23.2 [5.) D.25, c. 1, § 11], 6.) X 1.24.2, 7.) X 1.24.1, 8.) X 1.24.3, 9.) X 1.25.1, 10.) X 1.26.1, 11.) X 1.27.1, 12.) X 1.27.2, 13.) „Sicut in clero post episcopalem ordinem – pertinere videatur" [= *Gaudenzi* (wie Anm. 31) S. 398 nach MS Pistoja 140]. Es fehlt das Kapitel Lips. 33.4, und zwar wohl deswegen, weil dort Archipresbyter und Primicerius dem Archidiakon als Vertreter des Bischofs gleichgestellt wurden – Cortona 43 hat dagegen eine eindeutig archidiakonale Tendenz. In Umfang und Sequenz übereinstimmend erscheinen dieselben CEO-Kapitel in der Burchard-Handschrift Cortona 75 als Appendix zu Burchards Dekret auf fol. 168r – 169v. Zwischen X 1.24.3 und X 1.25.1 ist hier wie in der Parisiensis II. der Kanon des Konzils von Ravenna (X 1.24.4) eingeschoben. Den Hinweis auf das Vorkommen dieser Texte in MS Cortona 75 verdanke ich *Herbert Schneider* (München). Zu dieser Handschrift cf. *Mordek* (wie Anm. 36) S. 637f.

[40] Zur mittelitalienischen Sammlung in sieben Büchern cf. die Darstellung bei *Fournier – Le Bras* II (wie Anm. 34) S. 185–192. Eine genauere Untersuchung dieser Sammlung ist von mir geplant; sie wäre leichter durchzuführen, wenn wir eine Edition des Polycarp hätten. Ich bezweifle allerdings, daß diese Sammlung zu den von Gratian benutzten Quellen gehört haben kann, was Fournier anzunehmen scheint – cf. *Fournier – Le Bras* II, S. 192.

len[41]. Wichtig ist auch, daß die CEO im vatikanischen und im Wiener Manuskript dieser Sammlung fehlt – sie gehörte also nicht zum urspünglichen Bestand der Sammlung in 7 Büchern;

6. im *Burchard-Codex* der Kapitularbibliothek von *Lucca* (Lucca Bibl. cap. Fel. 124), wo die CEO in etwa demselben Umfang – allerdings mit variierender Kapitelfolge – wie in der Burchardhandschrift von Pistoja überliefert wird[42]. Im Lucca-Codex sind wie auch in anderen Überlieferungen zwei Kapitel der CEO mit einer auf Gregor I. lautenden Inskription versehen; dieser Tatbestand führte dazu, daß *Johannes Dominicus Mansi* die Kapitel in Bd. 10 seiner Konziliensammlung[43] bei Gregor I. einfügte, da er für seine Sammlung diese Handschrift auswertete. Über Mansi gelangten beide Texte in die Ausgabe von Gregors Werken von Gallicciolli 1768 und wurden schließlich in Jaffés Papstregestenwerk[44] verzeichnet;
7. einige Kapitel der CEO enhält auch die in Verona zusammengestellte *Collectio Veronensis*, deren Inhalt von mir 1981 analysiert wurde[45]. Die Veronensis-Überlieferung ist insofern wichtig, als sie die Vertrautheit mit dem Textkomplex der CEO in einer norditalienischen Region belegt. Möglicherweise bewußt, weil nicht in Verona als besondere Amtsstufen vorhanden, wurden hier Primicerius und Sacrista als spezifische Ämter übergangen,

---

[41] Die Untersuchung der Handschrift in Cortona wurde mir durch eine finanzielle Beihilfe der Bayerischen Akademie der Wissenschaften ermöglicht.

[42] Der Lucca-Codex bringt die CEO-Kapitel auf fol. 168r–169r in folgender Reihung: 1.) Lips. 33.3, 2.) X 1.23.1, 3.) X 1.23.2, 4.) X 1.24.1, 5.) X 1.24.3, 6.) X 1.27.1, 7.) X 1.26.1, 8.) X 1.27.2, 9.) „Sicut in clero – videatur“ [= *Gaudenzi* (wie Anm. 31) S. 398], 10.) „Ut archidiaconus post episcopum sciat se. Ut archipresbyter sciat se esse sub archidiacono. Ut sacrista sciat se subiectum esse archidiacono“, 11.) X 1.25.1, 12.) „Ut hii computentur – retinere non poterat“ [= *Gaudenzi* (wie Anm. 31) S. 397, c. 5].

[43] *Johannes Dominicus Mansi*, Sacrorum Conciliorum Collectio X, coll. 443–444, (c. XXIX und XXX) mit Mansis Kommentar col. 448. Mansi betrachtete die Canones bereits als ‚opus incerti auctoris‘.

[44] JE +1985 und JE +1986.

[45] *Peter Landau*, Die Collectio Veronensis, in: ZRG Kan. Abt. 66 (1981) S. 75–120; dort c. 114–116 (S. 101). In der Veronensis werden die Ämter des Archipresbyters, des Archidiakons und des Custos behandelt – zur Rangfolge mein Aufsatz S. 83f. Die Texte werden hier einer Epistola Clemens' I. zugeschrieben. Die Veronensis enthält also folgende Kapitel: 1.) X 1.24.2, 2.) Lips. 33.3, 3.) X 1.27.1.

statt dessen wird ein Kapitel über das Amt des Custos eingefügt. Zahl und Reihenfolge der Kapitel in Verona entsprechen der Überlieferung in der Anselmhandschrift aus San Marco in Florenz[46]. Sollte die Collectio Veronensis bereits im 11. Jahrhundert zusammengestellt worden sein, so wäre das Auftauchen von Texten der CEO in dieser Sammlung ein Beweis dafür, daß man die Komposition dieser Kapitel der CEO, die im Codex von Vercelli noch nicht enthalten sind, mindestens um 1050 datieren müßte. Im Anschluß an *Fournier* habe ich 1981 die Collectio Veronensis als ein Produkt des 11. Jahrhunderts eingeordnet[47]. Da die CEO sonst überwiegend in Sammlungen des frühen 12. Jahrhunderts verbreitet wird, könnte man vielleicht rückschließen, daß ihr Vorkommen in der Collectio Veronensis letztere eher in die Zeit um 1100 als um 1050 rücken läßt, jedoch möchte ich an der auf *Paul Fournier* zurückgehenden Datierung der Sammlung von Verona vor dem Investiturstreit festhalten;

8. auf das Vorkommen der CEO in einem Codex der Panormie Ivos in Venedig hat bereits *Gaudenzi* 1916 hingewiesen[48]. In Ivos Sammlungen selbst begegnet kein Text der CEO. Da Ivo bekanntlich eine umfassende Kenntnis des zu seiner Zeit verfügbaren kanonistischen Materials hatte, kann man aus dem Fehlen der CEO bei Ivo schließen, daß dieser Textkomplex um 1095 offenbar allenfalls in einem engen regionalen Bereich bekannt war. Es wäre sicher notwendig, bei der noch ausstehenden systematischen Untersuchung der zahlreichen Panormiehandschriften darauf das Augenmerk zu lenken, ob auch in anderen Manuskripten dieser vor Gratian wichtigsten Kanonessammlung die CEO als Supplement eingefügt wurde;

---

[46] Cf. oben Anm. 37.

[47] Cf. hierzu *Hubert Mordek*, Systematische Kanonessammlungen vor Gratian: Forschungsstand und neue Aufgaben, in: Proceedings of the Sixth International Congress of Medieval Canon Law, Berkeley, California: 28 July – 2 August 1980, ed. *Stephan Kuttner/Kenneth Pennington* (= MIC, Ser.C, Vol. 7) Città del Vaticano 1985, S. 185–201, hier S. 200, Anm. 75.

[48] Cf. *Gaudenzi* (wie Anm. 31) S. 395, Anm. 1. Die CEO begegnet hier in folgendem Umfang: 1.) X 1.23.1, 2.) X 1.24.1, 3.) X 1.25.1, 4.) X 1.26.1, 5.) X 1.27.1, 6.) Lips. 33.3, 7.) X 1.24.2. Zu den Kapiteln in dieser Handschrift cf. *Gaudenzi* (wie Anm. 31) S. 395, S. 398 und S. 404f.

9. dagegen ist ein Exzerpt der CEO konstituierender Bestandteil der im Bereich Nordfrankreichs nach 1123 als Erweiterung von Ivos Panormie entstandenen Sammlung in 10 Teilen (*Collectio decem Partium*), die nach neueren Forschungsergebnissen wahrscheinlich von dem Archidiakon *Walther von Thérouanne* zusammengestellt wurde[49]. Walther nahm in seine Sammlung nur die Kanones über das „ministerium archidiaconi" auf, insgesamt zwei Kapitel[50]. Das kann man wohl nicht damit erklären, daß Walther nur ein Exzerpt der CEO kannte, sondern es muß so verstanden werden, daß er eine bewußte Auswahl traf und nur an denjenigen Texten interessiert war, die seine eigenen Amtspflichten detailliert umschrieben. Mir scheint hier ein evidentes Beispiel dafür vorzuliegen, daß eine Rechtssammlung für die Bedürfnisse eines Archidiakons angelegt wurde; neben dem Typus *monastischer* Kanonessammlungen sollte man auch heuristisch den Begriff *archidiakonaler* Rechtssammlungen bilden[51];
10. zwischen 1130 und 1135 entstand in Châlons-sur-Marne aus der Sammlung in 10 Teilen das Exzerpt der sogenannten *Summa Haymonis*, die von dem dortigen Archidiakon Haymo von Bazoches verfaßt wurde, der sich selbst im Vorwort nennt; er war später (1152–53) Bischof von Châlons-sur-Marne[52]. Dieses inter-

---

[49] Die These von der Autorschaft des Walter von Thérouanne wurde von *Joseph Marie De Smet* in einer unveröffentlichten Arbeit entwickelt – cf. *De Smet*, De heilige Jan van Waasten en de Gregoriaansche hervorming in het bisdom Terwaan, Leuwen 1943. Über die Arbeit von De Smet cf. die Angaben bei *Laurent Waelkens/Dirk Van den Auweele*, La collection de Thérouanne en IX livres à l'abbaye de Saint-Pierre-en-Mont-Blandins: Le Codex Gandavensis 235, in: Sacris erudiri 24 (1980) S. 115–153, hier S. 119f. und S. 122 mit Anm. 44. Zur Sammlung in 10 Teilen cf. auch *Robert Somerville*, The Councils of Pope Calixtus II and the Collection in Ten Parts, in: Bulletin of Medieval Canon Law N. S. 11 (1981) S. 80–86 (= *ders.*, Papacy, Councils and Canon Law in the 11th–12th Centuries, Aldershot 1990, Nr. XI), und allgemein orientierend: *Fournier-Le Bras* (wie Anm. 34) S. 296–306.

[50] In MS Paris B. N. lat. 10743 stehen die Kapitel auf S. 149–151. Es sind: 1.) Lips. 33.3, 2.) X 1.23.2. Zum Vorkommen in der Sammlung in 10 Teilen bereits *Reynolds* (wie Anm. 12) S. 272, Anm. 116.

[51] Cf. *Theo Kölzer*, Mönchtum und Kirchenrecht. Bemerkungen zu monastischen Kanonessammlungen der vorgratianischen Zeit, in: ZRG Kan. Abt. 69 (1983) S. 121–142.

[52] Cf. *Paul Fournier*, Les collections attribuées à Yves de Chartres, in: Biblio-

essante Exzerpt fand auch außerhalb seines Entstehungsgebiets nördlich der Alpen weite Verbreitung; eine heute in München befindliche Handschrift stammt z. B. aus dem Kloster *Aldersbach* in Niederbayern, das um 1120 als Augustinerchorherrenstift gegründet worden war[53]. Haymo stellte nicht nur ein Exzerpt aus einer größeren Sammlung her, sondern bearbeitete dabei auch die Texte. Er kannte nur die Exzerpte der CEO aus der Sammlung in 10 Teilen und fügte diese Kapitel in die ebenfalls von ihm aufgenommene Epistola ad Leudefredum als Ergänzung zu den dortigen Aussagen über den Archidiakon ein[54]. Auch die Summa Haymonis ist eine spezifisch archidiakonale Rechtssammlung;

11. einem Hinweis von *Rudolf Weigand* verdanke ich die Information, daß die CEO – Texte auch in einer italienischen Gratianhandschrift vom Ende des 12. Jahrhunderts auftauchen, nämlich dem Codex Vat. Pal. lat. 625.[55] Die Handschrift fügt die Texte an D. 101 des Dekrets an, also am Ende des ersten Teils von Gratians Werk.[56] Es handelt sich um eine Textzusammenstellung, die die CEO im Umfang von 9 Kapiteln bringt und in der die Textanordnung mit keiner der übrigen Überlieferungen voll übereinstimmt; am meisten decken sich Textbestand und -anordnung

---

thèque de l'Ecole de chartes 57 (1896) S. 645–698, 58 (1897) S. 26–77, 293–326, 410–444, 624–676, hier S. 442–444 (= *ders.*, Mélanges de droit canonique 1, ed. *Theo Kölzer*, Aalen 1983, S. 451–678, hier S. 623–625), verkürzt wiederholt bei *Fournier – Le Bras* (wie Anm. 34) S. 306–308. Zum Autor Haymo bzw. Aimon de Bazoches cf. *Fournier*, l. c. Das Vorwort wurde ediert von *Augustin Theiner*, Disquisitiones criticae in praecipuas canonum et decretalium collectiones seu sylloges Gallandianae dissertationum de vetustis canonum collectionibus continuatio, Romae 1836, S. 180–182.

[53] Die Handschrift ist München Clm. 2594 (= Aldersbach 64). Zur Gründung von Aldersbach, das 1146 in ein Zisterzienserkloster umgewandelt wurde, cf. *Edgar Krausen*, Die Klöster des Zisterzienserordens in Bayern, (= Bayerische Heimatforschung, H. 7) München-Pasing 1953, S. 26–29.

[54] Zum Vorkommen von Texten der CEO in der Summa Haymonis cf. *Reynolds* (wie Anm. 12) S. 272 und 303. Haymo interpoliert in die Epistola ad Leudefredum die Kapitel JE +1985 (= Lips. 33.3) und X 1.23.2 (verkürzt).

[55] Zu dieser Gratianhandschrift cf. *Stephan Kuttner*, Repertorium der Kanonistik (1140–1234), Prodromus Corporis Glossatorum I, (= Studi e Testi 71) Città del Vaticano 1937, S. 57.

[56] Auf fol. 62vb–64rb der Handschrift (freundliche Mitteilung von *Rudolf Weigand*).

mit dem Burchard-Codex von Lucca.[57] Von den Texten der CEO über den Archipresbyter ist hier nur in ein einziger rezipiert (X 1.24.1), so daß diese Überlieferung den Archidiakon sehr begünstigt;

12. schließlich ist noch darauf hinzuweisen, daß Teilstücke der CEO in drei weiteren Handschriften auftauchen[58], nämlich in einem Codex der Kapitularbibliothek der katalanischen Bischofsstadt Vich[59], einem weiteren in Wien[60] und in einer Gratian-Handschrift der Harvard Law School[61]. Diese Handschriften konnte ich bisher nicht genauer untersuchen; ich kann mich jedoch auf Auskünfte stützen, die ich *Roger Reynolds* verdanke, und im Fall der Handschrift von Vich auf einen Mikrofilm, den er mir zur Verfügung gestellt hat[62]. Auch eine Abbreviatio des Dekrets Gratians aus dem 12. Jahrhundert hat Kapitel der CEO rezipiert[63].

---

[57] Die Kapitel erscheinen in folgender Sequenz: 1.) Lips. 33.3, 2.) X 1.23.1, 3.) X 1.23.2, 4.) X 1.24.1, 5.) X 1.27.1, 6.) X 1.26.1, 7.) X 1.27.2, 8.) „Sicut in clero – pertinere videatur“ [*Gaudenzi* (wie Anm. 31) S. 398], 9.) X 1.25.1.

[58] Cf. die Angaben bei *Reynolds* (wie Anm. 12) S. 272.

[59] MS Vich Bibl. Cap. 39 (XXXV) fol. 111 v.

[60] MS Wien Ö. N. B. 501 (Jur. can. 106) fol. 114 v – 115 v. Cf. Tabulae Codicum in Bibliotheca Palatina Vindobonensi I, Wien 1864, Nd Graz 1965, S. 83. Hier werden Kapitel über die Ämter des Archipresbyters und des Archidiakons rezipiert. Es handelt sich um: 1.) X 1.24.2, 2.) Lips. 33.3 bis ‚summa industria perficiat‘. Die Texte werden als Supplement zur Aachener Kanonikerregel gebracht.

[61] MS Harvard Law School Lib. 64, fol. 197 v. Hier sind folgende Kapitel rezipiert: 1.) X 1.23.1, 2.) X 1.26.1. Die Kapitel haben hier keine Inskription. Zur Handschrift cf. *Stephan Kuttner*, Manuscripts and Incunabula Exhibited at the Inauguration of the Institute in May 1956, in: Traditio 12 (1956) S. 611–615, hier S. 612.

[62] Ohne die Hilfe von *Roger Reynolds*, dem ich zu großem Dank verpflichtet bin, hätte ich die hier vorgelegten Forschungsergebnisse nicht erzielen können.

[63] In der Abbreviatio Gratians in Vat.lat. 2707 (s. XII) werden „Canones de officiis ecclesiasticis“ auf fol. 95 vb–96 vb rezipiert. Es sind dies: 1.) Lips. 33.3, 2.) X 1.23.1, 3.) X 1.23.2, 4.) X 1.24.1, 5.) X 1.27.1, 6.) X 1.26.1, 7.) X 1.27.2, 8.) unbekannter Text – nach Kuttner/Elze auch in Vat.lat. 1438 (fol. 48 a^{r-v}), 9.) X 1.25.1. Zu dieser Handschrift cf. *Kuttner/Elze*, (wie Anm. 35) vol. II (Studi e Testi 328) Città del Vaticano 1987, S. 308. Die Handschrift stammt aus Bologna. Ich vermute, daß das Kapitel 8 wie in Pal. lat. 625 dem Text bei *Gaudenzi* (wie Anm. 31) S. 398 entspricht („Sicut in clero – pertinere videatur“).

Wenn man versucht, Schlußfolgerungen aus dem hier dargebotenen Panorama der Handschriften für Entstehungszeit und Entstehungsort der CEO zu ziehen, so fällt zunächst auf, daß die Belege in den Handschriften meist der ersten Hälfte des 12. Jahrhunderts angehören und nur in einem Fall sicher vor der zweiten Hälfte des 11. Jahrhunderts einzuordnen sind. Man kann daraus schließen, daß eine Entstehung der CEO im 9. Jahrhundert, wie ihr Entdecker *Gaudenzi* 1916 annahm[64], oder gar im 8. Jahrhundert, wie *Hinschius* vermutete[65] und auch *Amanieu* voraussetzte, der die Entwicklung der Ämter des Archidiakons und des Archipresbyters weitgehend mit

---

[64] Cf. *Gaudenzi* (wie Anm. 31) S. 404. Gaudenzi nahm an, daß die Texte aus einem Ordo Romanus von Papst Nikolaus I. stammten, dann nach Ravenna gelangt seien und mit der Collectio Anselmo dedicata, die nach seiner Ansicht in Ravenna entstanden war, schließlich nach Vercelli gekommen seien (S. 395). Seine Hypothese beruht auf der ebenfalls hypothetisch entwickelten Voraussetzung, daß die Collectio Anselmo dedicata in Ravenna entstanden sei – cf. *ders.*, Lo svolgimento parallelo del diritto longobardo e del diritto Romano a Ravenna, in: Memorie della R. Academia delle Scienze dell'Istituto di Bologna 1 (1906/7) S. 46ff. Die Ravenna-Hypothese Gaudenzis kann aber heute als unbegründet und unwahrscheinlich gelten; cf. *Horst Fuhrmann*, Einfluß und Verbreitung der pseudo-isidorischen Fälschungen, Teil II, (= Schriften der Monumenta Germaniae Historica, 24/II) Stuttgart 1973, S. 427 mit Anm. 9 und neuerdings *ders.*, Fragmente der Collectio Anselmo dedicata, in: Deutsches Archiv für Erforschung des Mittelalters 44 (1988) S. 539–43, hier S. 541. In letzterem Aufsatz weist Fuhrmann auf Handschriftenfragmente der Anselmo dedicata in den Archiven von Pavia und Straßburg hin. Die Fragmente in Pavia wurden von *Ugo Fiorina* entdeckt [*U. Fiorina*, Frammenti di codici giuridici (secc. IX–XV) recentemente recuperati nell'Archivio di Stato di Pavia, in: Rivista di Storia del Diritto Italiano 52 (1979) S. 126–157; der Separatdruck zählt S. 1–32] und stammen aus demselben Codex, der wohl dem Ende des 9. Jahrhunderts zuzuordnen ist. Da wir wissen, daß Bernhard von Pavia die Anselmo dedicata benutzt hat, liegt die Vermutung nahe, daß er seine Kenntnis diesem Pavia-Codex der Sammlung verdankte. Wenn die Anselmo dedicata nicht in Ravenna entstanden ist, sind auch die weiteren Schlußfolgerungen Gaudenzis hinsichtlich der CEO unbegründet.

[65] Cf. *Hinschius* 2 (wie Anm. 27) S. 192f., Anm. 8. Hinschius kam zu einer Frühdatierung der Kapitel aufgrund seiner Annahme, daß man im 10. und im 11. Jahrhundert überall eine Aufteilung in Archidiakonatsbezirke mit mehreren Archidiakonen gekannt habe, die apokryphen Texte aber nur einen Archidiakon kennen. Wie Hinschius datiert auch *Alfred Schröder*, Der Archidiakonat im Bistum Augsburg (= Archiv für die Geschichte des Hochstifts Augsburg Bd. 6) Dillingen 1921, S. 12 und *ders.*, Entwicklung (wie Anm. 24) S. 69, Anm. 18.

Berufung auf die CEO als Quelle darstellt[66], schon aus Gesichtspunkten der Überlieferungsgeschichte ziemlich unwahrscheinlich ist. Aber auch vom Inhalt her kann nicht angenommen werden, daß die Texte der CEO im 9. Jahrhundert entstanden sind. Die Karolingerzeit kennt insbesondere noch nicht die für die CEO charakteristische Überordnung des Archidiakonats über den städtischen Archipresbyterat[67], die nach einem an den Weihestufen orientierten Amtsverständnis ohnehin unmöglich war. Nach der Epistola ad Leudefredum war der Archidiakon den Diakonen und den Subdiakonen, aber nicht den Presbytern übergeordnet; Versuche der Archidiakone, Herrschaftsgewalt über Presbyter, wohl vor allem in ländlichen Bezirken, auszuüben, waren vom Konzil von Chalon 813 als illegitim und tyrannisch verworfen worden[68]; und dieser Kanon wurde noch von Ivo und Gratian rezipiert[69], war also durchaus in der späteren Kanonistik verbreitet, wenn auch nicht über Burchard von Worms. In der

---

[66] *Amanieu* (wie Anm. 24) S. 957–959 hält X 1.23.1 für ein Kapitel eines Ordo Romanus ‚qui est certainement du VIIIe siècle' (col. 957). Im Art. Archiprêtre, in: Dictionnaire de droit canonique I (1935) col. 1006, schreibt er die Kapitel X 1.24.2–3 Papst Leo III. zu.

[67] Man vergleiche etwa die Relatio episcoporum an Ludwig den Frommen von 829, cap. VII: „Comperimus quorundam episcoporum ministros, id est chorepiscopos, archipresbiteros et archidiaconos, non solum in presbiteris, sed etiam in plebibus parrochiae suae avaritiam potius exercere, . . .", abgedruckt in: Capitularia Regum Francorum, Bd. 2, ed. *Alfred Boretius, Victor Krause*, (= MGH, Leg. Sect. II, Capit. 2) Hannoverae 1897, Nr. 196, S. 26–51, hier S. 32, Z. 33–35. Die Einordnung des Archidiakons vor dem Archipresbyter begegnet in nord- und mittelitalienischen Urkunden seit Beginn des 10. Jahrhunderts; cf. *Schröder* (wie Anm. 24) S. 70, Anm. 2. In der Zeit Hinkmars scheint man in Reims die Bezeichnungen Archidiakon und Archipresbyter noch weitgehend austauschbar für denselben Personenkreis verwandt zu haben, da es Archidiakone mit Priesterweihe gab; cf. *Martina Stratmann,* Hinkmar von Reims als Verwalter von Bistum und Kirchenprovinz (= Quellen und Forschungen zum Recht im Mittelalter, Bd. 6), Sigmaringen 1991, S. 24–27.

[68] Concilium Cabillonense, can. 15, in: Concilia aevi Karolini, Bd. 1/1, ed. *Albertus Werminghoff*, (= MGH, Leg. Sect. III, Conc. 2/1) Hannoverae/ Lipsiae 1906, Nr. 37, S. 273–275, hier S. 277, Z. 1–7. Zu Verboten in der Karolingerzeit gegen Mißbräuche in der Amtsausübung der Archidiakone cf. auch *Hinschius* 2 (wie Anm. 27) S. 188, Anm. 11.

[69] Der Kanon wird von Ivo im Dekret III. 134 und in der Tripartita III. 3. 17 gebracht. Gratian hat ihn in D. 94, c. 3 als zentrale Aussage zur Kompetenz der Archidiakone, die er in seinem Dictum zustimmend paraphrasiert.

Karolingerzeit hatte der Archidiakon primär Aufsichtsrechte über den Landklerus[70]; in bezug auf den städtischen Klerus der Dom- und Stiftskirchen gewährt zwar die *Regula Chrodegangi* ihm eine umfassende Befehls- und Kirchenzuchtgewalt in Vertretung des Bischofs[71], doch fehlen entsprechende Vollmachten in der Aachener Regel von 816, die anstelle des Archidiakons in den Kapiteln das Amt des Propstes kennt[72]. Im Gebiet der Lombardei ist nach einem Kanon des Konzils von Pavia 850 der städtische Klerus ausdrücklich dem ‚municipalis archipresbyter' unterstellt[73]. Man kann daher wohl mit Sicherheit ausschließen, daß Gaudenzis Hypothese einer Entstehung der CEO im 9. Jahrhundert zutreffend ist.

Nach der handschriftlichen Überlieferung wird man eher dazu neigen, die Entstehung der Urform der CEO in die Zeit zwischen 950 und 1000 zu setzen. Einen genaueren Anhaltspunkt für die Entstehungszeit der CEO liefert schließlich die Handschrift von Vercelli, in der die wohl älteste Überlieferung der Sammlung greifbar ist. Die Handschrift Vercelli XV enthält als Hauptbestandteil die Ende des 9. Jahrhunderts entstandene norditalienische kanonistische Sammlung „Collectio Anselmo dedicata" und ist überhaupt der einzige komplette frühe Textzeuge für diese Sammlung aus Italien. Am Ende der Handschrift findet sich eine Reihe von Versen, in denen Bischof Atto von Vercelli (926–960) seiner Kirche die Schenkung von drei Handschriften verspricht; außerdem wird in der Handschrift Papst Johann IX. mit Papst Johann XII. verwechselt, dessen Pontifi-

---

[70] So etwa in den Capitula des Walther von Orléans, c. 1 und 2, abgedruckt in: Capitula Episcoporum, Teil 1, ed. *Peter Brommer*, (= MGH, Capitula Episcoporum 1) Hannover 1984, S. 187–188. Cf. zu diesen Kapiteln auch *Hinschius* 2 (wie Anm. 27) S. 187, Anm. 4.

[71] Regula Chrodegangi c. 10 (wie Anm. 26, S. 16–17). Zur Stellung des Archidiakons in der Regula Chrodegangi cf. *Hinschius* 2 (wie Anm. 27) S. 88f.

[72] Conc. Aquisgranense [816] c. 139 (Concilia 2/1 [wie Anm. 68] S. 415). Zur Stellung des Propstes (praepositus) in der Aachener Regel cf. *Hinschius* 2 (wie Anm. 27) S. 89. Zur relativ späten Einführung des Amtes des Propstes in den italienischen Bistümern cf. *Schröder* (wie Anm. 24) S. 69, Anm. 1.

[73] Konzil von Pavia (850), c. 6, abgedruckt in: Die Konzilien der karolingischen Teilreiche 843–859, ed. *Wilfried Hartmann*, (= MGH, Leg. Sect. III, Conc. 3) Hannover 1984, Nr. 23, S. 217–229, hier S. 222, hier Z. 22–24: „Similiter autem et in singulis urbium vicis et suburbanis et per municipalem archipresbiterum et reliquos ex presbiteris strenuos ministros procuret episcopus . . .".

kat in den Zeitraum von 956 bis 963 fiel[74]. Die Handschrift von Vercelli muß daher, wie schon *Federico Patetta* bemerkte, der sie als erster beschrieb, wohl um 960 angelegt worden sein[75]. *Paul Fournier* datiert die Handschrift zwischen 924 und der Mitte des 10. Jahrhunderts[76]. Es erscheint auch am ehesten denkbar, daß Attos Widmungsgedicht noch zu seinen Lebzeiten in die Handschrift aufgenommen worden ist. Bald darauf wurde die Vercelli-Handschrift der Anselmo dedicata mit ihren Zusätzen in einer Handschrift kopiert, die sich heute in der Kapitelsbibliothek von Modena befindet (Modena II 2). Diese Abschrift von Modena bringt aber nicht die in der Vercelli-Handschrift ebenfalls als Zusatz enthaltene CEO, muß also angelegt worden sein, bevor die CEO in das Vercelli-Manuskript aufgenommen wurde[77]. Die CEO scheint in die Vercelli-Handschrift zusammen mit einer apokryphen römisch- rechtlichen Kaiserkonstitution ‚de diaconorum, presbiterorum et episcoporum subole' gelangt zu sein, die sich noch in einer anderen Handschrift des 10. Jahrhunderts und in einer Kanonessammlung desselben Jahrhunderts aus Châlons-sur- Marne findet[78]. Sie schloß alle Priestersöhne von kirchlichen

---

[74] Zu den Supplementen in der Vercelli – Handschrift der Collectio Anselmo dedicata cf. *Paul Fournier*, L'origine de la collection 《Anselmo dedicata》, in: Mélanges Paul Frédéric Girard. Études de droit romain dédiées à P. F. Girard, Bd. 1, Paris 1912, Nd Aalen 1979, S. 475–498 (= Mélanges 2, S. 189–212), hier zu MS Vercelli XV S. 477f. (= S. 191f.) und S. 481–483 (= S. 195–197).

[75] *Federico Patetta*, Nota nell'eta del Codice Vercellese della collezione di canoni Anselmo dedicata, in: Antologia giuridica Catania 4 (1890) S. 1–7 (= *ders.*, Studi sulle fonti giuridiche medievali, Turin 1967, S. 1–7). Zur Handschrift von Vercelli cf. auch *Giuseppe Russo*, Tradizione Manoscritta di Leges Romanae nei Codici dei Secoli IX e X della Biblioteca Capitulare di Modena (= Deputazione di Storia Patria per le Antiche Provincie Modenesi, Biblioteca no. 56) Modena 1980, S. 48–50.

[76] Cf. *Fournier* (wie Anm. 74) S. 483 (= Mélanges 2, S. 197): „. . . au plus tôt vers 924, probablement vers le milieu du Xe siècle."

[77] Zu MS Modena, Bibl. cap. II 2 cf. *Fournier*, L'origine (wie Anm. 74) S. 477 (= Mélanges 2, S. 191) und S. 483, Anm. 2 (= Mélanges 2, S. 197). Fournier nimmt an, daß die Kopie von Modena um 960 entstand, da sie bereits das Widmungsgedicht von Atto enthält, der bis 960 Bischof von Vercelli war. Zum Codex von Modena cf. auch *Giuseppe Russo* (wie Anm. 75) mit genauer Beschreibung der Handschrift S. 36–50 und einer Edition der römischrechtlichen Kapitel der ‚Anselmo dedicata' (S. 75–248).

[78] Der Text ist ediert bei *Baudi di Vesme*, Edicta regum Langobardorum (= Monumenta Historiae patriae) Turin 1855, S. 238. Die Fälschung wurde auch in

Ämtern und Würden aus und hatte damit eine gewisse Sachbeziehung zu dem amtsrechtlichen Themenkreis der CEO[79]. Beide Texte – die falsche Kaiserkonstitution und die CEO – können demnach erst nach 960 in das Vercelli-Manuskript als Supplemente eingetragen worden sein, sind aber nach dem Schriftbild dem ursprünglichen Textbestand so ähnlich, daß der zeitliche Abstand nicht sehr groß gewesen sein kann, und man den Eintrag der CEO in diese Handschrift wohl spätestens für die Zeit um die Jahrtausendwende ansetzen muß. Wir können also die handschriftliche Überlieferung der CEO schon etwa 1000 n. Chr. nachweisen und damit mit Sicherheit eine Entstehung dieser Texte um 1100 ausschließen, mit Wahrscheinlichkeit aber auch die Entstehung vor 900 verneinen. Somit gelangen wir in den Zeitraum des 10. Jahrhunderts, eine Epoche, aus der nur wenige Dokumente für geistige Leistungen in der Rechtsbildung existieren, in der aber gleichwohl wichtige Weichenstellungen im kanonischen Recht erfolgt sind, so etwa für die Fortentwicklung des Eherechts[80]. Für die Datierung ist unter Umständen auch der Gebrauch der Ausdrücke ‚ecclesia cardinalis' und ‚sacerdotes cardinales' wichtig. Der Begriff ‚ecclesia cardinalis' erscheint zuerst im Capitulare Mantuanum, einer karolingischen Königsverordnung für die Lombardei von 813[81]. Die Ausdrücke ‚ecclesia' und ‚capellae cardinales'

---

die Sammlung von MS Châlons 32 inseriert, cf. *Emil Seckel*, Zu den Akten der Triburer Synode, in: Neues Archiv der Gesellschaft für ältere deutsche Geschichtskunde 18 (1893) S. 392 und findet sich ferner in MS Vercelli LXXXVI – cf. *Friedrich Maaßen*, Bibliotheca juris canonici manuscripta, Sitzungsberichte k. k. Ak. Wien, Phil.-hist. Kl. 53 (1866) S. 411.

[79] Zu dieser apokryphen Kaiserkonstitution cf. *Fournier*, L'origine (wie Anm. 74) S. 483 (= Mélanges 2, S. 197) und *ders.*, Le décret de Burchard de Worms, in: Revue d'histoire ecclésiastique 12 (1911) S. 451–473 und S. 670–701, hier S. 673, Anm. 1 (= *ders.*, Mélanges 1, S. 419).

[80] Cf. zur Entwicklung des Eherechts im 10. Jahrhundert *Jean Gaudemet*, Le mariage en Occident. Les moeurs et le droit, Paris 1987, S. 109–132; *Pierre Daudet*, Études sur l'histoire de la jurisdiction matrimoniale. L'établissement de la compétence de l'église en matière de divorce et de la consanguinité (France X[e] – XIIe siècle), Paris 1941.

[81] Cap. Mantuanum mere ecclesiasticum c. 8 abgedruckt in: Capitularia Regum Francorum, ed. *Alfredus Boretius*, (= MGH, Leg. Sect. II, Capit. 1) Hannoverae 1883, Nd 1960, Nr. 92, S. 194f., hier S. 195, Z. 24: „Ut prepositi cardinalium aecclesiarum obedientes sint episcopis suis . . .". Der Ausdruck ‚sacerdotes

sind im 9. und 10. Jahrhundert fast ausschließlich in Oberitalien belegt[82]; der Ausdruck ‚sacerdotes cardinales' läßt sich in der Historia Mediolanensis um 1100 und im Mailänder Ordo des Beroldus von 1125[83] nachweisen.

Damit befinden wir uns bei der Frage, in welcher Region der abendländischen Kirche diese Amtskapitel verfaßt wurden, die in einer durchaus originellen Art Amtspflichten zu umschreiben versuchen. Die Inskriptionen der Kapitel helfen nicht weiter; denn weder ist es denkbar, daß Gregor I. solche Texte formuliert hat, noch sind sie in irgendeinem der uns überlieferten Ordines Romani nachzuweisen, noch kann man sie in Zusammenhang mit einem westgotischen Konzil bringen, da sie gerade vom Amtsrecht der westgotischen Kirche signifikant abweichen. Es kommt hinzu, daß in der ältesten Überlieferung von Vercelli die Kapitel überhaupt ohne Inskription auftauchen. Wollen wir einen Versuch unternehmen, die Kapitel der CEO zu lokalisieren, so müssen wir davon ausgehen, daß sie einmal den Archipresbyter dem Archidiakon eindeutig unterordnen und zum anderen das Amt des Propstes (Praepositus) innerhalb des Stadtklerus mit keinem Satz erwähnen. Auch der Begriff des ‚decanus' fehlt in der CEO; seine Funktionen nimmt offenbar der Archipresbyter wahr. Soweit ich erkennen kann, entsprechen Bezeichnungen und Rangfolgen der kirchlichen Ämter in der CEO am ehesten Zustän-

---

cardinales' wird in X 1.24.2 verwandt; ‚cardinales ecclesias' bei *Gaudenzi* (wie Anm. 31) c. VI, S. 397.

[82] Cf. *Carl Gerold Fürst*, Cardinalis. Prolegomena zu einer Rechtsgeschichte des römischen Kardinalskollegiums, München 1967, S. 87–98: Alle Belege mit einer Ausnahme aus Florenz. Die zahlreichen Belege aus Siena setzen erst 1075 ein. Nach Fürst waren die ecclesiae cardinales in Italien städtische Pfarrkirchen ohne Taufrechte – „pfarrähnliche Institutionen" (S. 93). Die CEO wird von Fürst als Quelle herangezogen, der jedoch in der Frage der Datierung die beiden Möglichkeiten eines Ansatzes im 9. Jahrhundert oder im 11. bis 12. Jahrhundert offenläßt (S. 87). Fürst hält im übrigen die These Gaudenzis hinsichtlich einer Zuordnung zu einem Ordo Romanus Nikolaus' I. und der Verbreitung der Texte über Ravenna und Oberitalien für „nicht unmöglich" (S. 95, Anm. 44) – insofern kann ich ihm nicht folgen.

[83] Cf. *Stephan Kuttner*, Cardinalis: The History of a Canonical Concept, in: Traditio 3 (1945) S. 129–214, hier S. 157–158 (auch in: *ders.*, The History of Ideas and Doctrines of Canon Law in the Middle Ages, London 1980, Nr. IX). Nach dem Ordo des Beroldus steht der Archipresbyter an der Spitze der 24 sacerdotes cardinales an der Mailänder Domkirche.

den, wie sie uns für das 10. und 11. Jahrhundert aus Norditalien überliefert sind[84]. Hier bestanden analoge kirchliche Organisationsstrukturen, die in solchen apokryphen Texten normativ festgeschrieben werden konnten, wobei man diese Texte dann mit der Autorität eines „Ordo Romanus" oder einer Bestimmung Gregors I. versah. In Oberitalien gab es im 10. Jahrhundert gerade auch Bestrebungen der Archidiakone, sich einen herausgehobenen Rang zu erkämpfen, wie wir aus der Korrespondenz des Bischofs *Rather* von Verona wissen. Rather möchte die Ansprüche seines Archidiakons zurückdrängen und zitiert in diesem Zusammenhang für seine Ansicht ebenfalls eine apokryphe Bestimmung in einem angeblichen Brief von Papst Agapet II.: „Archidiaconus suum praefixum canonibus non excedens teneat cum humilitate locum"[85]. Man focht offenbar auf beiden Seiten mit apokryphen Texten. Auch die handschriftliche Überlieferung spricht dafür, die CEO als ein Produkt italienischer Kanonistik um 1000 n. Chr. zu betrachten, da die Verbreitung über die Sammlung in 10 Teilen sicher sekundär ist und das Auftauchen der Texte in den französischen Polycarphandschriften unschwer damit erklärt werden kann, daß diese übereinstimmenden Zusätze bereits in der italienischen Vorlage der französischen Handschriften enthalten waren. Der Ursprung in Italien ist auch deshalb wahrscheinlich, weil der Entwurf von Kompetenznormen, wie er in den Texten der CEO vorliegt, durch das Vorbild des Ämterrechts des Codex Justinianus beeinflußt sein könnte, das über vereinfachende Bearbeitungen des Codex wie in der Summa Perusina[86] auch im 10. Jahrhundert noch vor Einflüssen der Schule von Bologna kanonistische Aktivitäten angeregt haben könnte.

---

[84] Cf. *Hinschius* 2 (wie Anm. 27) S. 94 mit Anm. 1; ferner die Übersicht über Bezeichnungen für den Kathedralklerus in italienischen Diözesen bei *Kuttner* (wie Anm. 83) S. 154, Anm. 9.

[85] Die Briefe des Bischofs Rather von Verona, ed. *Fritz Weigle*, (= MGH, Die Briefe der deutschen Kaiserzeit 1) Weimar 1949, Nr. 7, S. 39.

[86] Zur Summa Perusina cf. *Max Conrat(Cohn)*, Geschichte der Quellen und Literatur des römischen Rechts im frühen Mittelalter, Leipzig 1891, Nd Aalen 1963, S. 182–187, hier S. 182. Die Summe wurde ediert von *F. Patetta*, Adnotationes codicum domini Justiani (Summa Perusina), in: Bullettino dell'Istituto del Diritto Romano 12 (1900) (umfaßt den ganzen Band!). In der Summa Perusina wird allerdings der Begriff ‚officium' nicht erwähnt.

Hier könnten aber nur eingehendere vergleichende Untersuchungen weiterführen. Ich beschränke mich daher auf die Formulierung des folgenden Zwischenergebnisses: Die CEO entstand in einer später angereicherten Urform wahrscheinlich nicht lange vor 1000 an einem italienischen Bischofssitz. Die früheste handschriftliche Verbreitung in Vercelli, die Anlehnung an das römische Recht wie auch die Verwendung des Ausdrucks ‚ecclesia cardinalis' lassen vermuten, daß der ursprüngliche Textkomplex in Oberitalien zusammenkam.

IV. Die stufenweise Entstehung der CEO aus drei Ämtertraktaten

Die handschriftliche Überlieferung der Textbestandteile der CEO ermöglicht es nun aber auch, eine Hypothese über die Entstehung der ursprünglichen Teilstücke zu formulieren. Ich unterscheide in demjenigen Textbestand, der bei Bernhard von Pavia und später im Liber Extra überliefert wird, insgesamt drei, unabhängig voneinander entstandene Textkomplexe, die ich mit den Siglen *CEO 1*, *CEO 2* und *CEO 3* bezeichnen will.

Die *CEO 1* ist derjenige anonyme Traktat, der ohne jede Zuschreibung auf Gregor I. oder ein Konzil von Toledo zuerst im MS Vercelli Euseb. XV überliefert wird und folglich noch im 10. Jahrhundert entstand. Er besteht aus 7 Kapiteln, die entsprechend der Reihenfolge der Vercelli-Überlieferung von *Gaudenzi* ediert wurden.[87] Es handelt sich um einen Ämtertraktat, der die Ämter des Archidiakons, Archipresbyters und Primicerius als eine Dreiheit von Aufsichtsämtern für den Klerus bestimmt.[88] Außer den drei genannten Aufsichtsämtern werden in diesem Traktat die Ämter des *Sacrista* (c. 4) und des „caput

[87] *Gaudenzi* (wie Anm. 31) S. 395–398. Das Kapitel V bei Gaudenzi (= X 1.27.1) stammt *nicht* aus der Vercelli-Handschrift und ist nicht Bestandteil der CEO 1 gewesen, sondern gehört vielmehr zu dem Komplex der CEO 2, den ich unten behandle.

[88] Cf. vor allem c. 5 des Traktats [*Gaudenzi* (wie Anm. 31) S. 397] – dort als c. VI: „Ut hi computentur esse in ordine qui cardinales ecclesias habuerint. Hi debent facere processionem cum episcopo et per vices septimanas tenere in sancta matre Ecclesia et assidue ibidem stare, absque licencia episcopi aut archidiaconi aut archipresbiteri aut primicerii nusquam extra civitatem ire, et ad tempus constitutum, si foras ierint, reverti: nam et de ceteris clericis qui beneficia non habent et infra civitatem degunt similem modum censemus observandum".

scolae" (c. 6) erwähnt[89]. Dieser Traktat (CEO 1) wurde im 12. Jahrhundert teilweise durch Bestandteile aus anderen Quellen erweitert, wovon die Burchard-Handschriften in Lucca[90] und Pistoja[91] und die Panormiehandschrift der Marciana[92] Zeugnis ablegen; dabei wurde aber der Vercelli-Traktat auch verkürzt, indem die Kapitel 5 und 6 und damit die Beschreibung der Aufgaben des „caput scolae", weggelassen wurden.

Anstelle der Kapitel 5 und 6 trat dann manchmal folgender zusammenfassender Satz aus einem spanischen Konzilskanon, der die Ämterdreiheit von Archidiakon, Archipresbyter und Primicerius als „sanctus ordo" bestimmte: „Communi deliberatione sancimus, ut omnes nos episcopi infra nostram constituti provintiam in cathedralibus nostris ecclesiis singuli nostrum archidiaconum, archipresbyterum et primicerium habere debeamus. Sanctus quippe ordo per omnia observandus".[93] In dieser Form ist der Textkomplex von Vercelli u. a. in der Handschrift Vat. 3831 der Drei-Bücher-Sammlung über-

---

[89] Ich ediere die CEO 1 nach der ältesten Überlieferung in der Vercelli-Handschrift im Anhang zu diesem Aufsatz.

[90] MS Lucca Fel. 124 (Burchard) bringt auf fol. 168r – 169r die CEO im Umfang von 12 Kapiteln. Zu den Kapiteln cf. oben Anm. 42. Die Kapitel 2, 4, 7, 11 und 12 von Lucca entsprechen den Kapiteln 1,2,4,3 und 5 des Traktats von Vercelli (= CEO 1). Zusätzlich zur CEO 1 enthält der Traktat hier folgende Kapitel: c. 1 (= Lips. 33.3), c. 3 (= X 1.23.2), c. 5 (= X 1.24.3), c. 6 (= X 1.27.1), c. 8 (= X 1.27.2), c. 9 [= *Gaudenzi* (wie Anm. 31), S. 398].

[91] MS Pistoja 140 (Burchard) bringt den Ämtertraktat auf fol. 172v–173v. Es übernimmt aus der CEO 1 nur die c. 1–4 (= c. 2–5 Pistoja) und ergänzt ähnlich wie der Lucca-Codex. Es entsprechen sich (im folgenden Sigle L für Lucca, Sigle P für Pistoja): c. 1 (L) = c. 6 (P), c. 3 (L) = c. 7 (P), c. 5 (L) = c. 9 (P), c. 6 (L) = c. 10 (P), c. 8 (L) = c. 11 (P), c. 9 (L) = c. 1 (P). Das Kapitel 10 in L fehlt in P. Zusätzlich zum Textbestand in L hat P auch ein Kapitel aus der noch zu behandelnden CEO 2 – c. 8 (= X 1.24.2). Zu dieser Handschrift *Chiappelli* in: Archivio giuridico 34 (1885) S. 259. Die Angaben bei *Gaudenzi* (wie Anm. 31) S. 395 zum Inhalt der Handschrift von Pistoja sind nicht zuverlässig.

[92] Cf. oben Anm. 48.

[93] So in Lips. 33.5 [ed. *Friedberg*, Quinque Compilationes (wie Anm. 17) S. 198]. Dieses Kapitel stammt aus can. 10 des Konzils von Mérida 666 – cf. *José Vives*, Concilios Visigóticos e hispano-romanos (= España Christiana 1) Barcelona-Madrid 1963, S. 322. Das Kapitel ist im MS Cortona 43 „ex Concilio Meretensi" inskribiert, nicht wie in der Collectio Lipsiensis „ex concilio Tolletano". Zum Kanon von Mérida cf. auch *Heintschel* (wie Anm. 12) S. 31 mit Anm. 51, dessen Quellen- und Literaturzitate allerdings irreführend sind.

liefert.[94] Bernhard von Pavia kannte die CEO 1 offenbar nur in der verkürzten Form und übernahm daraus vier Kapitel, die später auch in den Liber Extra gelangten.[95]

Einige der Kapitel, die in den behandelten Burchard- und Panormiehandschriften die CEO 1 ergänzen, entstanden meiner Ansicht nach ursprünglich als ein der Tendenz der CEO 1 nicht entsprechender besonderer Ämtertraktat, der nämlich anstelle der Dreizahl von Archidiakon, Archipresbyter und Primicerius nunmehr die drei Ämter des Archipresbyters, Archidiakons und Custos nebeneinanderstellte, und zwar mit der Rangordnung des Archidiakons nach dem Archipresbyter. Es handelt sich um die Kapitel X 1.24.2 (Archipresbyter), Lips. 33.3 (Archidiakon) und X 1.27.1 (Custos), die in dieser Reihenfolge und zwar *ohne* die sonstigen Ämterkapitel zuerst in der Collectio Veronensis (MS Verona LXIV bzw. 62) überliefert werden.[96] Diese drei Kapitel werden in derselben Sequenz wie in der Veroneser Handschrift auch in einem Manuskript der Sammlung des Anselm von Lucca aus San Marco in Florenz überliefert.[97] Wir können hier einen ursprünglich selbständigen zweiten Ämtertraktat fassen, den ich mit der Sigle *CEO 2* bezeichnen möchte. Die Texte der CEO 2 wurden später mit solchen der CEO 1 vermischt, wie sich bereits am Beispiel der oben erwähnten Burchard- und Ivohandschriften zeigen ließ. Sie sind wahrscheinlich im 11. Jahrhundert entstanden, da sie zuerst zusammen in der Collectio Veronensis belegt sind. Dort werden sie noch nicht Gregor I. zugeschrieben, sondern mit Clemens Romanus und über ihn mit Petrus verbunden, so daß der Archidiakon plötzlich als eine Institution der Urkirche erscheint. Im Stil sind die Kapitel so verwandt, daß man einen gemeinsamen Ursprung voraussetzen muß. Zunächst fällt auf, daß sowohl die Beschreibung des Amts des Archipresbyters als auch die desjenigen des

---

[94] Lips. 33.5 folgt in MS Vat.lat. 3831 auf X 1.25.1 in 3lib. Tit. 55 als c. 5, cf. oben Anm. 34. Dieser Text ist ferner enthalten in den Polycarphandschriften – cf. oben Anm. 33, in der Sammlung in 5 Büchern – cf. oben Anm. 35, und in MS Cortona 43 – cf. oben Anm. 39.

[95] Es sind dies X 1.23.1, 1.24.1, 1.25.1 und 1.26.1.

[96] Zur Collectio Veronensis cf. oben Anm. 45.

[97] Zu dieser Handschrift, die die Sammlung des Anselm von Lucca enthält, oben Anm. 37. Außerdem enthält die Handschrift die pseudoisidorische Epistola ad Leudefredum.

Archidiakons jeweils mit dem Begriff „ministerium" anstelle von „officium" eingeleitet wird. Die Übertragung der Amtsaufgaben wird in diesen Kapiteln als eine „commissio" mit den Worten „commissum" (Lips. 33.3) und „committuntur" (X 1.27.1) umschrieben. Die Wahrnehmung der Amtsaufgaben durch die Amtsinhaber wird mit den Begriffen „providentia" (Lips. 33.3) und „provideat" (X 1.24.2 sowie X 1.27.1) bezeichnet. Der priesterliche Dienst erlangt durch die Tätigkeit des Bischofs seine „*perfectio*"; diese genuin bischöflichen Aufgaben nehmen stellvertretend für den Bischof in einer funktionellen Arbeitsteilung sowohl Archipresbyter als auch Archidiakon wahr. Deshalb heißt es über den Archipresbyter: „Si episcopus defuerit, exceptis his, quae prohibita sunt, archipresbyter provideat cuncta, quae in sacerdotum ministerio perfici debeant" (X 1.24.2). Dem entspricht folgende Aussage über den Archidiakon: „Ministerium archidiaconi constat esse in ecclesia, ita ut quicquid sub episcopo est illi videatur esse commissum, consecrationum videlicet perfectio que ab episcopo perfici debet, archidiaconi providentia traditur" (Lips. 33.3). Die einzelnen Amtsaufgaben werden dann für Archidiakon und Archipresbyter ganz unterschiedlich bestimmt; diejenigen des Archidiakons liegen im Bereich von äußerer Verwaltung und Jurisdiktion, diejenigen des Archipresbyters sind von den Sakramenten her bestimmt. Der Custos untersteht eindeutig dem Archidiakon, aber gerade nicht dem Archipresbyter; in diesem Punkt unterscheidet sich die *CEO 2* fundamental von der *CEO 1*[98].

Stilistische, konzeptionelle und überlieferungsgeschichtliche Gründe führen aber dazu, daß noch ein anderer Teilkomplex innerhalb der Überlieferung der CEO genetisch zusammengehören muß. Es handelt sich um die drei Kapitel X 1.23.2, X 1.24.3 und X 1.27.2. Ich bezeichne diesen Teilkomplex als *CEO 3*. Diese Kapitel unterscheiden sich von denjenigen der CEO 2 zunächst dadurch, daß sie nicht von „ministerium", sondern von „officium" in bezug auf Archidiakon und Archipresbyter sprechen. In der CEO 3 wird anders als in der CEO 2 eine Vierzahl von Ämtern (Archidiakon, Archipresbyter, Primicerius und Custos) aus der CEO 1 und der CEO 2 behandelt. Die gegenseitige Abgrenzung der Aufgaben der Ämter erfolgt hier

---

[98] Ich ediere die CEO 2 im Anhang nach der ältesten Überlieferung in der Collectio Veronensis.

anders als in der CEO 2. An der Spitze des Klerus steht der Archipresbyter, der dem Bischof unmittelbar nachgeordnet ist. Der Archidiakon wird als Vorgesetzter der Diakone beschrieben, der Archipresbyter als Vorgesetzter der Priester. Der Primicerius ist der Vorgesetzte des niederen Klerus vom Subdiakon abwärts. Die beiden Sätze „quando episcopus missam cantat, ad iussionem illius – sc. archidiaconi – induant se Levitae vestimentis sacris, qualiter cum pontifice ad missam procedant" (X 1.23.2) beim Archidiakon und „Quando vero episcopus missam canit, debet praecipere sacerdotibus, ut induant se vestibus sacris, et qualiter ad missam procedant" (X 1.24.3) beim Archipresbyter entsprechen offenbar einander. Beim Amt des Primicerius werden die *liturgischen* Aufgaben im Gottesdienst betont und von denen des Archipresbyters abgesetzt. Auch dem Amt des Custos werden durch den Satz „nec non panem et vinum omni tempore praeparatum ad missam habere debet" (X 1.27.2) weitere gottesdienstliche Aufgaben zugeordnet. Er übernimmt ferner zusätzliche Pflichten der Verteilung der kirchlichen Einkünfte aus Oblationen, Almosen und Zehnten auf die Mitglieder des Kapitels.[99] Als Finanzberater ist der Custos aufgewertet, so daß er nicht wie in der CEO 2 als nachgeordneter Gehilfe des Archidiakons erscheint, der letzterem in allem zu gehorchen habe, sondern vielmehr neben Archidiakon, Archipresbyter und Primicerius eine der vier Säulen der Kirche ist, sich bei der Finanzverwaltung aber mit dem Archipresbyter abstimmen soll.[100] Die CEO 3 hält es sogar für nötig, jeden dieser vier obersten Amtsträger nach dem Bischof vor gegenseitiger Eifersucht und Neid zu warnen, was voraussetzt, daß auch der Custos eine Machtposition innehat.[101] Der Custos ist zwar nicht den anderen völlig gleichgestellt, aber er untersteht dem Archipresbyter, nicht dem Archidiakon[102]. Das Ämtermodell dieser CEO

---

[99] X 1.27.2: „et omnes oblationes, seu eleemosynas, seu decimas, cum eiusdem – sc. archidiaconi – tamen consensu absente episcopo, inter fratres dividat".

[100] MS Vich 39, c. 5: „In his quattuor columnis, ut sancta sanxit synodus, consistere alma mater debet ecclesia". Ferner cf. zur Abstimmung mit dem Archipresbyter CEO 3, c. 4 – unten im Appendix.

[101] MS Vich 39, c. 5: „Hii quattuor ministeriales sancte ecclesie insimul iuncti uno animo et consilio peragant, et non sit invidia neque zelus inter eos."

[102] MS Vich 39, c. 1: „Debet etiam – sc. archipresbyter – praecipere custodi ecclesiae, ut in sacrario eucharistia christi propter infirmos non desit". In X 1.27.2

3 ist mehr eines der *Koordination* als der *Subordination*; die vier obersten Amtsträger einer Bischofskirche werden in dem Gattungsbegriff ,ministeriales ecclesiae' erfaßt. In der interpolierten und den Kapiteln der CEO 1 und CEO 2 angeglichenen Überlieferung dieser Texte bei Bernhard von Pavia und später im Liber Extra ist das ursprüngliche Modell nicht mehr klar zu erkennen.

Dieser dritte Textkomplex der CEO (= *CEO 3*) ist in der Handschrift von Vich ohne die anderen CEO-Kapitel überliefert; wahrscheinlich liegt hier sogar die älteste Überlieferung vor[103]. In die Burchard-Handschriften von Lucca und Pistoja sind sämtliche Kapitel der CEO 3 aufgenommen[104]; dabei wurden allerdings die Kapitel 3 und 4 der CEO 3 miteinander derart zusammengezogen, daß der Primicerius als ein *nicht* dem Archidiakon untergeordneter Amtsträger beseitigt wurde und somit der Widerspruch zwischen c. 3 der CEO 1 und c. 3 der CEO 3 verschwand. Dies hatte dann noch weitere Texteingriffe zur Folge: Bezüglich des Archidiakons wurde der Satz: „Ideo vero strenuus, providus, cautus, vicem sui episcopi agens, episcopi totam curam habeat" (= X 1.23.2 vor § 1) eingefügt, wodurch das Amt des Archidiakons der Aufgabenbeschreibung in X 1.23.1 und Lips. 33.2 angeglichen wurde, ferner wurde in c. 3 der CEO 3 die Erwähnung des Subdiakons als überflüssig gestrichen (=

---

wird zwar der Konsens des *Archidiakons* zweimal für Amtshandlungen des Custos erwähnt – aber hier steht in der ursprünglichen Fassung der CEO 3 – MS Vich 39 – gerade ,archipresbyteri' anstelle von ,archidiaconi'- die Textgestaltung in X 1.27.2 ist das Produkt einer bereits vor Bernhard erfolgten *Harmonisierung* der drei unterschiedlichen CEO-Quellen.

[103] Ich ediere die Kapitel der *CEO 3* im Anhang nach MS Vich 39. Zu MS 39 (XXXV) der Dombibliothek von Vich cf. *Josep Gudiol*, Catàleg dels Llibres manuscrits anteriors al segle XVIII dal Museu Episcopal de Vich, Barcelona 1934, S. 55–56. Die Handschrift besteht aus zwei ursprünglich getrennten Manuskripten; die CEO 3 erscheint hier im Zusammenhang mit einem Auszug aus Isidor ,De officiis' am Ende des ersten Teils des ersten Manuskripts. Dieser erste Teil enthält ansonsten hauptsächlich die Dialoge Gregors des Großen. Nach einer freundlichen Mitteilung des Archivdirektors von Vich, Dr. *Miguel Gros i Puyol*, wurde die Handschrift wahrscheinlich im Scriptorium von Vich zwischen 1050 und 1075 geschrieben. Bei meinen Forschungen in bezug auf Vich und die genannte Handschrift wurde ich von *Paul Freedman* (New York) unterstützt, dem ich zu besonderem Dank verpflichtet bin.

[104] Zur Textanordnung in den Burchard-Handschriften cf. oben Anm. 90 und Anm. 91.

X 1.23.2, § 2), in c. 4 wurde die Unterordnung des Custos unter den Archipresbyter durch die unter den Archidiakon ersetzt und damit Übereinstimmung mit der hierarchischen Ordnung in der CEO 1 hergestellt (= X 1.27.1), und schließlich wurde das abschließende Kapitel der CEO 3 verändert, indem nur noch von drei Säulen der Kirche „in his tribus ecclesiae columnis" (X 1.27.2, § 1) anstelle von vier Säulen die Rede war, also auch hier der Primicerius eliminiert wurde. Unstimmig und widersprüchlich blieb bei dieser Textredaktion allerdings die Stellung des Custos, der auf der einen Seite dem Archidiakon untergeordnet ist (X 1.27.1), andererseits aber ihm als Säule der Kirche gleichgestellt wird (X 1.27.2)[105]. Das Kapitel über den Archidiakon aus der CEO 3 erscheint auch bereits in der Sammlung in 5 Büchern von MS Vat. lat. 1348[106], später in drei Handschriften des Polycarp[107]. Wenn man der bisherigen Forschung folgend die Sammlung von Vat. lat. 1348 auf die Zeit um 1085 datiert[108], so könnte der von mir als CEO 3 bezeichnete Textkomplex bereits im letzten Viertel des 11. Jahrhunderts entstanden sein. Die Kapitel der CEO 3 sind offenbar eine Reaktion auf die CEO 2, setzen die Texte der letzteren voraus. Setzt man die CEO 2 wegen ihrer Einfügung in die Collectio Veronensis bereits um 1050 an, so kommt der Zeitraum zwischen 1050 und 1100 für die Datierung der CEO 3 in Frage. Da alle Texte der CEO 3 auch in der vor Gratians Dekret

---

[105] Die harmonisierenden Texteingriffe bei der CEO 3 scheinen stufenweise erfolgt zu sein. Der Satz, „Hii *quattuor* ministeriales sancte ecclesiae insimul iuncti uno animo et consilio peragant" wird in MS Lucca Fel. 124 verändert zu: „*Hi tres* provide ministeriales sanctae ecclesie simul iuncti" – cf. *Mansi* X, col. 778 – und später bei Bernhard von Pavia zu: „Hi tres, archidiaconus, archipresbyter, custos simul iuncti".

[106] Lib. I. tit. 42 c. 11 [*Motta* (wie Anm. 35) S. 309].

[107] Hierzu oben Anm. 33.

[108] Der Zeitpunkt der Entstehung dieser Sammlung wird sehr unterschiedlich angesetzt, bei *Fournier-Le Bras* II (wie Anm. 34) S. 131, Anm. 2, um 1100. Dagegen nahm *Viktor Wolf von Glanvell* an, daß die Sammlung der Zeit Gregors VII. angehöre – cf. *Viktor Wolf von Glanvell* (wie Anm. 35) S. 54. Ihm folgt *Alfons M. Stickler*, Il potere coattivo materiale della Chiesa nella Riforma Gregoriana secondo Anselmo da Lucca, in: Studi Gregoriani 2 (1947) S. 235–85, hier S. 277, Anm. 258. *Hubert Mordek*, Kirchenrecht und Reform im Frankenreich, (= Beiträge zur Geschichte und Quellenkunde des Mittelalters, 1) Berlin/ New York 1975, gibt S. 201, Anm. 529, ‚saec. XII in. Mittelitalien' an.

angelegten Handschrift von Cortona (MS Cortona 43) der 7-Bücher-Sammlung enthalten sind, handelt es sich jedenfalls bei dem Gesamtkomplex der CEO 3 um ein vorgratianisches Produkt. Die Überlieferung der CEO 3 in MS Vich 39 führt schließlich zu dem Ergebnis, daß auch dieser Textkomplex bereits ein Produkt des dritten Viertels des 11. Jahrhunderts sein dürfte.

Für die von mir vertretene These einer ursprünglich getrennten Entstehung der CEO 3 spricht noch ein weiteres Argument: die Übereinstimmung in der *Inskription*. Die CEO 1 wird schon in der vorgratianischen Überlieferung generell mit der Inskription „ex libro Romani Ordinis" oder „Ex Romano Ordine" versehen[109]; die Kapitel der CEO 2 haben in der Überlieferung meist die Inskription „ex libro institutionum Sancti Gregorii"[110]. Nur für die Texte der CEO 3 begegnet die Inskription „*ex Concilio Toletano*" und zwar übereinstimmend in den beiden Burchard-Handschriften und in MS Cortona 43[111]. Den Text von Lips. 33.4 möchte ich auch der CEO 3 zuordnen, da hier die Inskription „Martinus p. et martir", die an Martin von Braga denken läßt, ebenfalls einen spanischen Ursprung fingiert und der Inhalt stilistisch mit den sonstigen Kapiteln dieser Gruppe verwandt ist, da er ähnlich wie diese auf die Stellvertretung des Bischofs – ‚representant vicem ponticifis' – abstellt und wie X 1.27.2. die ‚absentia' des Bischofs hervorhebt. Das Kapitel soll offenbar den Text Lips. 33.5 ergänzen, der bereits vielfach vor Bernhard von Pavia überliefert ist, da in Lips. 33.5 nur die Stellvertretung des Bischofs durch die Ämterdreiheit Archidiakon/Archipresbyter/Primicerius ‚in cathedralibus nostris' festgelegt wird, während Lips. 33.4 diese Funktion den genannten Amtsinhabern ‚in omni loco' zuerkennt. Den Text Lips. 33.4 kann ich in der zur Zeit bekannten handschriftlichen Überlieferung der CEO vor Bernhard nicht

[109] Cf. *Gaudenzi* (wie Anm. 31) S. 398, ferner für die Collectio V Librorum *Motta* (wie Anm. 35) S. 308f. Im MS Vercelli Euseb. XV wird die CEO 1 noch ohne Inskription gebracht.

[110] Cf. *Gaudenzi* (wie Anm. 31) S. 404f. und *Motta* (wie Anm. 35) S. 309; *Mansi* X, col. 443f.

[111] Cf. für Burchard (Pistoja 140) *Chiappelli* (wie Anm. 91) hier S. 259; für Burchard (Lucca Bibl. cap. Fel. 124) *Mansi X*, col. 776f.; MS Cortona 43 auf fol. 22v (X 1.23.2), fol. 23v (X 1.24.3) und fol. 24r (X 1.27.2). Zu MS Vich 39 cf. die Edition im Anhang.

nachweisen; das läßt vermuten, daß Bernhard bei seiner Rezeption der CEO-Kapitel wohl nicht auf die uns heute bekannten Handschriften zurückgriff.

Bernhard von Pavia hat bei der Rezeption der CEO-Texte für seine Kompilationen bei dem Kapitel X 1.24.3 die Inskription „ex Concilio Toletano" durch „Item" bzw. „Idem" ersetzt, was nach der bei ihm gegebenen Texteinordnung eine Zuschreibung auf Leo III. bedeuten mußte[112]. Dafür gab er dem Kapitel X 1.24.1 – vorher stets mit der Inskription „ex libro Romani ordinis" – die Inskription „ex Concilio Toletano"[113]. Folgte Bernhard bei dieser Inskriptionsveränderung seiner für die CEO-Kapitel benutzten Quelle oder wurden hier von ihm unabsichtlich Inskriptionen vertauscht oder liegt gar eine bewußte Korrektur des Bologneser Kanonisten vor? Ich halte die dritte Möglichkeit für das Wahrscheinlichste. Der von Bernhard zuerst in der Parisiensis II mit der Inskription „ex Concilio Toletano" versehene Text (X 1.24.1) war nämlich bei Gratian in die Epistola ad Leudefredum gelangt, die Bernhard natürlich in der gratianischen Redaktion vertraut war[114]. Als er nun dieselben Sätze in seiner CEO-Quelle mit der Inskription „ex libro Romani ordinis" fand, konnte eine solche Überschrift für einen nach seiner Kenntnis aus Spanien stammenden Text natürlich nicht zutreffend sein. Der gelehrte Kanonist vermutete einen Überlieferungsfehler und versetzte die Inskription „ex Concilio Toletano" bei den von ihm rezipierten Archipresbyter-Kapiteln von X 1.24.3 nach X 1.24.1. Da er ferner offenbar die beiden Kapitel X 1.24.2 und X 1.24.3 mit Recht als stilistisch verwandt empfand, schrieb er beide einem Papst Leo zu. Die Veränderung des Papstnamens von ‚Gregorius' zu ‚Leo' beruht wahrscheinlich auf einem Abschreibfehler. Die Kapitel der CEO 3 haben demnach ursprünglich *sämtlich* die Inskription „ex Concilio Toletano" getragen, was wohl so zu erklären ist, daß der Erfinder dieser Texte die spanische Etikettierung deshalb wählte, weil er die Epistola

---

[112] So in Parisiensis II 6.3 – *Friedberg*, Canonessammlungen (wie Anm. 20) S. 33 (‚Item'); in Lipsiensis 33.8 – *Friedberg*, Quinque Compilationes (wie Anm. 17) S. 198 (‚Idem'); in X 1.24.3 (‚Idem').

[113] Parisiensis II 6.1. – *Friedberg*, Canonessammlungen (wie Anm. 20) S. 33; Lips. 33.6 – *Friedberg*, Quinque Compilationes (wie Anm. 17) S. 198; X 1.24.1.

[114] Zu dieser Interpolation bei Gratian in D.25, c. 1, § 12 cf. unten im Abschnitt V dieser Arbeit.

ad Leudefredum kannte und seine Produkte als Ergänzung von Isidors angeblichem Brief verstand.

Im Ergebnis scheint mir sicher zu sein, daß die CEO in die 3 Teil-Sammlungen aufgeteilt werden muß und daß die von mir durch die Ziffern 1, 2 und 3 festgelegte Stufenfolge der Textentstehung das einleuchtendste Erklärungsmodell für den überlieferungsgeschichtlichen und inhaltlichen Befund liefert. Wird diese Hypothese akzeptiert, so werden die Texte zum Zeugnis für eine kontinuierliche Bemühung – zum Teil schon vor der gregorianischen Reform – um das Ämterrecht der Kirche im regionalen Bereich Ober- und Mittelitaliens; bei der CEO 3 könnte man wegen der Betonung der *liturgischen* Aufgaben der Ämter und damit der engen Verwandtschaft zur Epistola ad Leudefredum, wegen der Inskriptionen und wegen der Überlieferung in Vich sogar an einen Ursprung außerhalb Italiens denken[115].

V. Amtsrecht und Weiherecht

Hat man bereits vor Bernhard von Pavia erkannt, daß die Kapitel der CEO die Konzeption eines vom Weiherecht unabhängigen Amtsrechts enthielten und deshalb eine besondere systematische Bedeutung besaßen? Diese Frage läßt sich eindeutig bejahen, wenn man die bereits erwähnte, kurz vor oder nach 1100 in der Toskana entstandene Sammlung in 5 Büchern heranzieht (MS Vat. 1348)[116], die anders als sonst vielfach in der Überlieferung die CEO nicht als

[115] Bezeichnung und Rangordnung der Dignitäten im Kathedralkapitel von Vich scheinen allerdings mit der CEO 3 nicht übereinzustimmen; cf. zu diesem Punkt die gründliche Untersuchung von *Paul H.Freedman*, The Diocese of Vich. Tradition and Regeneration in Medieval Catalonia, New Brunswick N. J. 1983, besonders S. 48–50. Der hier diskutierte Text (CEO 3) wird in dieser Arbeit nicht erwähnt. Es muß jedenfalls festgehalten werden, daß die Kapitel in MS Vich 39 nur von einem Autor verfaßt sein können, der sowohl die Epistola ad Leudefredum als auch CEO 1 und 2 gekannt haben muß – letzterer Faktor macht es möglich, auch bei der CEO 3 an *italienische* Herkunft zu denken. Die Handschrift Vich 39, die als älteste den Text der CEO 3 überliefert und wohl in der zweiten Hälfte des 11. Jahrhunderts entstand, wurde wohl in Vich angelegt; cf. *Josep Gudiol* (wie Anm. 103) S. 56: „podria ben ésser del produccio nostral."

[116] Cf. zu dieser Sammlung oben Anm. 35 u. 108.

Appendix außerhalb der Systematik bringt, sondern sie in die systematische Gliederung einfügt. Die Sammlung in 5 Büchern bildet ausschließlich aus den Texten der CEO einen eigenen Titel (Buch I, Tit. XLII) mit der Überschrift: „De diversis ordinibus in ecclesia ad eam *gubernandam* positis", dem dann ein weiterer Titel folgt, für den als Text allein die in 9 Kapitel aufgeteilte Epistola ad Leudefredum verwandt wird. Dieser anschließende Titel trägt die Überschrift: „De sacris ordinibus qui septem sunt sed tamen a clericis fit inceptio."[117]

Der Kompilator der Sammlung in 5 Büchern trennt folglich die „sacri ordines" von den „ordines ad ecclesiam gubernandam". Letztere entsprechen dem späteren Begriff des officium. Der von den Weihestufen gelöste Amtsbegriff ist in der Sache erreicht, auch wenn noch die spätere Terminologie fehlt, wo die entscheidende Weichenstellung durch Bernhard von Pavia erfolgte.

Damit komme ich zu dem großen Bologneser Kanonisten zurück, der in gewissem Sinne Hauptperson dieser Arbeit ist. Bernhard hatte die CEO in einer relativ umfangreichen Redaktion als Quellenvorlage, etwa wie sie uns durch MS Cortona 43 überliefert ist. Wir haben bereits gesehen, daß er in der Collectio Parisiensis II 9 Kapitel aus der CEO bezog. Wahrscheinlich gehörte eine Handschrift mit Texten der CEO zu seiner Handbibliothek; denn bei der Zusammenstellung der Collectio Lipsiensis nahm er noch weitere CEO-Kapitel auf, diesmal insgesamt 12. In der Collectio Lipsiensis, die von Bernhard durch eine Kombination seiner eigenen Collectio Parisiensis II mit der aus Frankreich (Tours) neu bezogenen Collectio Bambergensis gebildet wurde[118], hat Bernhard alle Texte der CEO in einen einzigen Titel zusammengefaßt, den er mit der Rubrik „De offitio archidiaconi, archipresbiteri, primicerii, sacristae et custodis" versah. Die neu aufgenommenen Stücke betrafen zwei kurze Kapitel des Inhalts, daß es in jeder Kathedralkirche die Ämter eines Archidiakons, Archipresbyters und Primicerius geben solle[119]. Die Tendenz dieser Texte ging

---

[117] Cf. *Motta* (wie Anm. 35) S. 305. Die CEO wird hier in Tit. 42 auf 14 Kapitel verteilt – c. 14 (communi deliberatione – observandus) entspricht Lips. 33.5.

[118] Cf. *meinen* Aufsatz: Die Entstehung (wie Anm. 19) S. 133–137; ferner die detaillierten Analysen bei *Walter Deeters*, Die Bambergensisgruppe der Dekretalensammlungen des 12. Jahrhundert, Phil. Diss. Bonn 1954, Bonn 1956.

[119] Lips. 33.4 [ed. *Friedberg*, Quinque Compilationes (wie Anm. 17) S. 198]:

auf eine Vereinheitlichung des kirchlichen Ämterrechts. Außerdem erscheint ein weiteres Kapitel über das „ministerium archidiaconi" aus der CEO 2, in dem die umfassenden Rechte und Pflichten des Archidiakons besonders klar auseinandergesetzt werden. Der Archidiakon wird hier zum eigentlichen Organisator der Diözesansynode, als Untersuchungsrichter über Kleriker und Laien, als primär Verantwortlicher für die Erhaltung des kirchlichen Vermögens und als Veranstalter der Wahlen durch Klerus und Kirchenvolk[120]. Die in den vorher erwähnten anderen Archidiakonskapiteln erwähnte umfassende Zuständigkeit des Archidiakons als Vertreter des Bischofs wird in genau beschriebenen Einzelbefugnissen entfaltet. Er hat nach diesem Kapitel Anteil an den Lasten des bischöflichen Amtes; er wächst tendenziell sogar über die Stellung des Vikars hinaus: „... quicquid sub episcopo est, illi – sc. archidiacono – videatur esse commissum ..."[121]. Damit ist ein Höhepunkt in der Rechtsstellung der Archidiakone erreicht.

Die in die Lipsiensis neu aufgenommenen Kapitel von der Notwendigkeit bestimmter Ämter und den Rechten des Archidiakons hat Bernhard bei der Redaktion der Compilatio I nicht wieder ver-

---

„Martinus P. et martir. In omni loco archipresbiter et archidiaconus et primicerius representant vicem pontificis in eius absentia." Lips. 33.5 (ed. Friedberg, l. c.): „Item ex conc. Tolletano. Communi deliberatione sancimus, ut omnes nos episcopi infra nostram constituti provintiam in cathedralibus nostris ecclesiis singuli nostrum archidiaconum, archipresbiterum et primicerium habere debeamus. Sanctus quippe ordo per omnia observandus." Zu letzterem Kapitel cf. oben Anm. 93.

[120] Lips. 33.3 [ed. *Friedberg*, Quinque Compilationes (wie Anm. 17), S. 197f.]: „Ministerium archidiaconi constat esse in ecclesia, ita ut quicquid sub episcopo est illi videatur esse commissum. ... Deinde vero quando sinodus ab episcopo facienda erit archipresbiteri et ceteri qui sub ipsis sunt ab archidiacono iuxta suum ordinem deducantur in presentia episcopi ad sinodum peragendam. ... Perquiratur etiam ab ipsis clericis vel ab aliis honestis hominibus de incestis et rebus illicitis, et quod incongruum actum repererit, quantum prevalet studiose emendare prevideat, et que minime valuerit corrigere suo episcopo studeat nuntiare. Perquirat etiam de rebus ecclesiae diligenter, ne aliqua negligentia seu etiam fraudulentia depereant. ... Si in plebibus archipresbiteri obierint aut pro aliquo reatu fuerint exinde abiecti, archidiaconus quantocius eundo illuc et cum clericis et populis ipsius plebis electionem faciat, quatinus domui Dei dignus pastor constituatur ...".

[121] Cf. oben Anm. 120.

wendet. War das ein Zufall bei der Auswahl des Materials oder lag darin eine bewußte Entscheidung? Wir können es aus den Quellen nicht erschließen. Festzuhalten bleibt allerdings, daß in der mittelalterlichen Kirche sich kein einheitliches Modell der Organisationsstruktur durchsetzte, wie es in den von Bernhard in seiner letzten Sammlung, dem Breviarium, wieder eliminierten Kanones der Lipsiensis angestrebt wurde. Es hätte sich auch nicht durchgesetzt, wenn Bernhard anders verfahren wäre – insofern paßte der auch in der Praxis erfahrene Rechtslehrer sein Werk der Rechtswirklichkeit an. Wäre es ihm um eine zwingende Vorgabe für die Organisationsstruktur gegangen, so hätte er auch sein eigenes Amt zur Zeit der Kompilation des Breviars, nämlich das eines Propstes der Kirche von Pavia, berücksichtigen müssen.

Bernhard war sich darüber im klaren, daß er mit den Titeln XV–XX seines Breviars ein vom Weiherecht getrenntes Amtsrecht konzipiert hatte. In seiner Summa decretalium, die als authentischer Autorenkommentar zur eigenen Gesetzessammlung von großer Bedeutung ist, findet man folgende Erläuterung: „Explicito per Dei gratiam tractatu ordinandorum, nunc *de dignitatum officiis* videamus."[122] Die Überordnung des Archidiakons über den Archipresbyter wird hier von Bernhard nach der Analogie der Stellung des Papstes gegenüber den Bischöfen als „maioritas dispensationis" – Vorrang in Verwaltung und Jurisdiktion – erklärt und gerechtfertigt[123].

Mit der Rezeption in der Compilatio I des Bernhard von Pavia hatten die Normen der CEO für kirchliche Ämter endgültig Eingang ins ius commune der Kirche gefunden. Den Zeitgenossen schienen diese Regeln so eindeutig zu sein, daß Bernhard von Pavia in seiner Summa mit der Bemerkung: „Cetera satis patent" auf jede weitere Kommentierung verzichtete[124]. Die Aufnahme der Rechtstexte in die autoritative Rechtssammlung Bernhards sicherte ihnen allgemeine Anerkennung. Als bei Innocenz III. eine Anfrage einging, wie man das „officium archidiaconi" definieren könne, bezog sich der Papst in

---

[122] *Bernardi Papiensis* Summa decretalium, lib. I, tit. XV–XX, ed. *E. A. Th. Laspeyres*, Regensburg 1860, Nd Graz 1956, S. 16.

[123] Bernardus Papiensis, ed. *Laspeyres* (wie Anm. 122): „Sed maioritas dicitur hic non ordines, sed dispensationes, sicut et Petrus ceteris discipulis praefuit non ordine, sed dispensatione."

[124] Bernardus Papiensis, ed. *Laspeyres*, l. c. (wie Anm. 122).

seiner Antwort auf die constitutio Romani ordinis und wies darauf hin, daß dort der Archidiakon als vicarius des Bischofs bezeichnet werde.[125] Die Amtsbeschreibungen der CEO wurden jetzt als grundlegend für die Kirchenverfassung betrachtet. War man sich zur Zeit Innocenz' III. bewußt, daß diese Normen letztlich einen Bruch mit der Epistola ad Leudefredum bedeuteten und etwas Neues gebracht hatten? Diese Frage läßt sich eindeutig verneinen; denn Innocenz III. zitiert in der soeben erwähnten, in die Compilatio IV des Johannes Teutonicus aufgenommenen Dekretale neben der Constitutio Romani Ordinis als einen gleichermaßen wichtigen Text auch die Epistola ad Leudefredum zur Bestimmung der Amtsgewalt des Archidiakons[126]. Ein Widerspruch fiel ihm nicht auf und er *konnte* ihm auch nicht auffallen, da der Text der Epistola ad Leudefredum bei der Aufnahme in Gratians Dekret an einer entscheidenden Stelle verändert worden war. Die Epistola ordnete den Archidiakon nach dem Archipresbyter in die Hierarchie ein, aber bei Gratian liest sich der angebliche Isidor-Brief anders, indem hier eine zusätzliche Passage über den Archipresbyter eingefügt ist, die man nirgendwo in der vorgratianischen Überlieferung des Briefs finden kann. Teilstück dieser Gratian-Interpolation ist folgender Satz: „Archipresbyter vero se esse sub archidiacono, eiusque preceptis, sicut episcopi sui, obedire sciat."[127] Diese Formulierung stammt aus der CEO[128]; sie könnte von Gratian selbst in die Epistola ad Leudefredum hineinredigiert worden sein und ordnet jedenfalls eindeutig den Archipresbyter hierarchisch nach dem Archidiakon ein. Dieselbe Interpolation scheint auch in einer heute verlorenen Handschrift des Dekrets Ivos von Chartres'

---

[125] Comp. IV 1.11.1 = X 1.23.7, § 3 (Po. 5031): „Secundum vero Romani ordinis constitutionem maior post episcopum et ipsius episcopi vicarius reperitur . . .".

[126] X 1.23.7: „. . . archidiaconus secundum statuta B. Isidori imperat subdiaconis et Levitis; parochiarum sollicitudo et earum ordinatio ad ipsum pertinet, et audire debeat iurgia singulorum. Archipresbiteri autem qui a pluribus decani nuncupantur, eius iurisdictioni se noverint subiacere."

[127] D.25, c. 1, § 12 Decr. Grat. (wie Anm. 12) col. 91. Cf. zu diesem Teilstück auch die ‚Notationes Correctorum', ebenda, in denen bereits auf die Interpolation hingewiesen wird.

[128] Cf. X 1.24.1: „ex concilio Toletano". Zu dieser Interpolation bei Gratian cf. *Reynolds* (wie Anm. 12) S. 262, S. 271, S. 303.

erfolgt zu sein[129]. Der Einschub könnte dadurch entstanden sein, daß Leser der Epistola ad Leudefredum im 12. Jahrhundert mit Kenntnis der CEO die auffallende Abweichung beider Texte bemerkten und den wichtigsten Rangunterschied am Rand des Textes der Epistola verzeichneten. So könnte unmerklich der Archipresbyter-Vers der CEO bei weiterem Abschreiben in die Epistola ad Leudefredum gelangt sein. Es ist aber auch eine andere Erklärung möglich: Gratian könnte bewußt eine Bestimmung über das Rangverhältnis des Archipresbyters zum Archidiakon aus der CEO herausgenommen und in die Epistola ad Leudefredum eingesetzt haben. Trifft diese zweite Hypothese zu, dann muß Gratian die CEO oder zumindest ein Exzerpt dieser Sammlung gekannt haben. Weshalb hat er dann trotzdem auf die im 12. Jahrhundert viel weniger aktuelle Epistola ad Leudefredum bei Beschreibung der Ämter zurückgegriffen? Vielleicht, weil er Officium und Potestas immer noch in engstem Zusammenhang mit der Weihegewalt sah[130]. Er kennt noch kein verselbständigtes Amtsrecht und ignoriert mit einer Ausnahme die wichtigste zeitgenössische Rechtsquelle zu diesem Rechtsgebiet, nämlich die CEO.

VI. Ergebnisse

Am Anfang der Entwicklung zu einer Rechtssystematik des officium stehen somit weder Konzilskanones noch päpstliche Dekretalen, sondern apokryphe Produkte von unbekannten Kanonisten wohl um 1000 n. Chr., steht ein Traktat aus dem Zeitalter der Ottonen. Wie hätte es auch anders sein können in einer Epoche, die erst allmählich die Möglichkeit aktiver Rechtsschöpfung für das ius commune der Kirchen durch Konzilien und Päpste neu entdeckte? Der Erfolg der apokryphen Normen wurde durch ihren obskuren Ursprung nicht behindert, da hinter ihnen seit der Rezeption durch

---

[129] Zur Interpolation im Dekret des Ivo von Chartres cf. *Reynolds* (wie Anm. 12) S. 299 und *meinen* Aufsatz: Das Dekret des Ivo von Chartres, in: ZRG Kan.Abt. 70 (1984) S. 1–44, hier S. 15f. mit Anm. 47.

[130] Cf. *Zirkel* (wie Anm. 10) und zu Zirkels Buch *Rudolf Weigand*, Zur Lehre von der geistlichen Gewalt im 12. Jahrhundert, in: ZRG Kan.Abt. 63 (1977) S. 318–327.

Bernhard von Pavia das Ansehen der sie verbreitenden Rechtsschule von Bologna stand. Im Anschluß an die apokryphen Rechtsnormen schufen die Päpste seit Alexander III. auch Normen zu den Kompetenzen der kirchlichen Richter, der päpstlichen Legaten und der Vikare[131] – insgesamt ein imponierendes Gebäude eines zentralistisch auf den Papst ausgerichteten *kanonischen Beamten- und Richterrechts*. Im Vergleich dazu fehlte eine ähnlich detaillierte Regelung der Kompetenzen der kollegialen Organe der Kirche – des Kardinalskollegiums, der Konzilien, Synoden und Kapitel – die in den Texten des klassischen kanonischen Rechts im wesentlichen dort in Erscheinung treten, wo ihre Mitwirkung an Entscheidungen der Amtsträger vonnöten war – im Sinne von Konsenserfordernissen-, ferner als Kreationsorgane im Bereich der Wahlen, weniger als *eigenverantwortliche* Entscheidungsträger[132]. Dies kann hier natürlich nicht im einzelnen

---

[131] Die entsprechenden Dekretalen sind vor allem im Liber Extra in Lib. I, Tit. XXVIII–XXXII enthalten – insgesamt einundachtzig Kapitel. Der Liber Sextus bringt in Lib. I, Tit. XIII–XVI zweiunddreißig Kapitel, die Clementinen in Lib. I, Tit. VII–IX vier Kapitel.

[132] Im Liber Extra enthält der Titel X von Buch III „De hiis quae fiunt a praelato *sine* consensu capituli" ausschließlich Dekretalen, in denen Bereiche umschrieben werden, in denen der Konsens des Kapitels *erforderlich* ist. Die Überschrift entspricht nicht dem Inhalt der hier aufgeführten Papstentscheidungen; sie wurde von Raimund in Anlehnung an den entsprechenden Titel der Compilatio I Bernhards von Pavia formuliert: „De hiis quae conceduntur ab episcopo sine consensu canonicorum" (Comp. I 3.9). Die im klassischen kanonischen Recht vorherrschende Tendenz, Amtsträger und Kapitel als *korporative Einheit* von Haupt und Gliedern zu sehen, hatte zur Folge, daß die eigenen Kompetenzen der Kollegialorgane im Corpus Iuris Canonici nicht zusammenfassend geregelt wurden. Zu diesen Fragen cf. *Brian Tierney*, Foundations of the Conciliar Theory, the Contribution of the Medieval Canonists from Gratian to the Great Schism (= Cambridge Studies in Medieval Life and Thought, vol. 4) Cambridge 1955, vor allem S. 108–117, und speziell *Jean Gaudemet*, Evêques et Chapitres, législation et doctrine à l'âge classique, in: Mélanges Dauvillier, Toulouse 1980, S. 307–318 (= auch in: *ders.*, La Société ecclésiastique dans l'Occident médiéval, London 1980, no. XII) – hier vor allem die Feststellung (S. 309), Alexander III. habe in der grundlegenden Dekretale JL 11384 (= X 3.10.4) nicht versucht, die rechtlichen Beziehungen und die originären Kompetenzen von Bischof und Kapitel festzulegen. Gaudemet geht übrigens irrtümlich davon aus, daß JL 11384 und JL 11868 (X 3.10.5) Teile derselben Dekretale seien, was nach der Überlieferung in den Sammlungen nicht zutreffend ist – cf. *Walter Holtzmann*, Die Register Alexanders III. in den Händen der Kanonisten, in: Quellen und Forschungen aus italienischen Archiven und Bibliotheken 30 (1940) S. 13–87, hier S. 33f.

ausgeführt werden; wesentlich ist aber, daß erst der Codex von 1917 Kapitel unter dem Titel „De Concilio Oecumenico[133]" und „De Synodo Dioecesana"[134] enthält. Die kollegialen Strukturen haben in der Rechtswirklichkeit der katholischen Kirche nie gefehlt; aber normativ wurden die Kompetenzen der Kollegialorgane selten geregelt. Das gilt selbst für das neueste kanonische Recht nach dem Zweiten Vatikanischen Konzil, obwohl das katholische Kirchenrecht heute viele neuartige kollegiale Rechtsinstitute kennt[135]. Der Verfasser des „little anonymous tract on ecclesiastical offices", wie *Stephan Kuttner*[136] die hier behandelte Quelle genannt hat, kannte den Zusammenhang von Verantwortungsbereich und rechtlicher Kompetenzbegrenzung; daher ist sein apokryphes Produkt ein Zeugnis von *Rechtskultur*, wie sie schon um das Jahr 1000 in der mittelalterlichen Kirche erreicht war und von jeder kirchlichen Gemeinschaft bewahrt werden muß, wenn der Begriff einer *Kirchenverfassung* auf sie sinnvoll angewandt werden soll.

---

[133] „De Concilio Oecumenico" bildet Caput II (cann. 222–229) des Titulus VII „De suprema potestate deque iis qui eiusdem sunt ecclesiastico iure participes" der Prima Pars „De clericis" des Liber Secundus „De Personis".

[134] „De synodo dioecesana" bildet das Caput III (cann. 356–362) des Titulus VIII „De potestate episcopali deque iis qui de eadem participant" der Pars Prima „De clericis" des Liber Secundus „De personis".

[135] Neue kollegiale Institutionen im Kirchenrecht des CIC/1983 im Vergleich zum CIC/1917 sind auf universalkirchlicher Ebene der Synodus Episcoporum (Bischofssynode) in cann. 342–348; dazu die im gemeinen Recht des CIC/1917 noch nicht geregelte Episcoporum conferentia (Bischofskonferenz) in cann. 447–459, das consilium presbyterale (Priesterrat) in cann. 495–502 und das consilium pastorale (Pastoralrat) in cann. 511–514. Im weiteren Sinn ist auch der in can. 434 vorgesehene „conventus Episcoporum regionis ecclesiasticae" eine solche Institution; in Deutschland ist bisher keine solche regio ecclesiastica gemäß can. 433 als persona iuridica errichtet worden.

[136] *Kuttner*, Cardinalis (wie Anm. 83) S. 161, Anm. 30. Kuttner datiert an dieser Stelle den Traktat auf das 11.–12. Jahrhundert, also weitaus später als die Hinschius folgende sonstige Literatur. Dieser Spätdatierung kann ich wegen der Überlieferung der Texte in dem Vercellimanuskript nicht folgen.

VII. Quellenanhang: Editionen der CEO nach ihren ursprünglichen Bestandteilen

CEO 1 nach MS Vercelli Bibl. cap. Euseb. XV (fol. 183v–184r):

[I.] Ut archidiaconus post episcopum sciat se vicarium esse suum in omnibus et omnem curam tam in clero positorum quamque eorum qui per parrochias habitare noscuntur ad eum pertinere, sive de eorum conversatione sive de honore et restauratione ecclesiarum sive de doctrina scolasticorum vel ceterarum rerum vel de districtione delinquentium, sicut coram Deo rationem inde redditurus; et de tertio in tertio anno, sicut episcopus, parrochiam universam circumeat et cuncta quę emendatione indigent ad vicem sui episcopi corrigat.

[II.] Ut archipresbiter se sciat esse sub archidiacono eiusque preceptionibus sicuti episcopi sui oboedire et quod specialiter ad eius ministerium pertinet super omnes presbiteros in ordine positos curam gerere; et quando episcopi sui absentia esse contigerit, ipse ad vicem eius missarum sollempnia celebret et collectas dicat aut cui ipse iniunxerit.

[III.] Ut primicerius sciat se esse sub archidiacono sicut et archipresbiter et ad eius specialiter curam pertinere ut presit diaconibus, subdiaconibus vel reliquis gradibus ecclesiasticis in ordine positis; et ut ipse discipline et doctrine et custodie insistat sicuti pro animabus eorum coram Deo rationem redditurus; et ut ipse de singulis studium habeat, in quacumque parte capacem sensum habuerint instruendi.

[IV.] Ut sciat se sacrista subiectum esse archidiacono et ad eius curam pertinere custodiam sacrorum vasorum ac vestimentorum ecclesiasticorum seu totius thesauri ecclesiastici nec non quę ad luminaria pertinent sive in cera sive in oleo sive ad distributionem sacri chrismatis.

[V.] Ut hi computentur esse in ordine qui cardinales ecclesias habuerint. Hi debent facere processionem cum episcopo super vices septimanas tenere in sancta matre ecclesia et assidue ibidem stare, absque licencia episcopi aut archidiaconi aut archipresbiteri aut primicerii nusquam extra civitatem ire, ad tempus constitutum, si foras ierint, reverti: nam et de ceteris clericis qui beneficia non habent et infra civitatem[a] degunt similem modum censemus observandum. Omnes quidem isti, tam qui in clero sunt positi quamque, sicut diximus, qui in civitate degunt omnes in unum ad officium veniant tam in die quam in nocte, scilicet ad nocturnas et matutinas, ad primam, deinde ad capitulum et postea ad terciam ac missa et ad sextam, deinde ad vesperas; ad nonam autem ebdomadarii veniant et scola vel quicumque occurrere possunt; ad completorium vero sacrista cum suis iunioribus vel quibus congruum fuerit ibi venire. Quicumque autem aut in ordine positi aut extra ordinem esse videntur et presbiteratus ac diaconatus officio fu[n]gentur suprascriptas horas et constitutum modum contumacem neglegere presumpserint, prima vice presumptor excommunicetur a vino, deinde, si iteraverit suam

---

[a] MS civitate

neglegentiam, a carne et vino. Quod si nec sic emendaverit, in pane et sale et aqua excommunicetur. Quod si rebellis et contumax nec sic correptionem receperit, aut excommunicationem inruperit, retrusus in carcere tamdiu ibi iace[a]t quousque episcopo aut in suo loco positis satisfaciat. Reliqui vero clerici in talibus neglegentiis reprehensi, sicut sacerdotes et diaconi in carcere retruduntur, ita hi coram fratribus verberibus castigentur.

[VI.] Ut caput scole, sciat se esse sicut sub episcopi potestate ita sub archidiaconi et ad eius curam pertinere quicumque in ecclesia cantare debent et cuicumque rationabiliter sibi placuerit lectiones, responsoria et antiphonas dare; sollicitudo ac providentia omnium scolasticorum in eo pendere debet; et ut ipse assiduus in scola sit et sub se iuniorem habeat talem a se constitutum qui adiutor ei esse possit sive eo praesente sive absente et tam in scola quam in ecclesia eius vice teneat, et curam ac sollicitudinem scolasticorum post eum gerat, si ipse defuerit. Et ad omnes cursus preter completorium tam caput scolę quam constitutus sub eo iunior, si magister defuerit eorum, cum omni scola veniat.

[VII.] Decernimus ut per singulas plebes archipresbiteri prevideant ut tam nocturnum quam diurnum officium cum luminaribus et incensu in eorum sit ecclesiis factum, et singuli titulares suas ebdomadas in plebe sua teneant; et cum ipsis qui ebdomadas tenuerint et cum suis clericis quos secum habuerint archipresbiteri nocturnas et matutinas omni nocte pariter ac reverenter cantent. Deinde ad primam veniant, postea terciam cum missarum sollempniis peragant, deinde sextam et nonam ac vesperas et completorium per horas canonicas compleant et per singulas horas canonicas signum sonent. Et ut scolasticos habere studeant quantum plus potuerint et de eorum doctrina magnam sollicitudinem habeant.

ĊEO 2 nach MS Verona LXIV (62) (fol. 61 v–65 v)

Excepta ex epistola Beati Clementis papae. Qualiter ordo ecclesiasticus perficio porteat.

[I.] Ministerium archipresbiteri in eo constituitur[1], ut diligenti cura provideat ministerium sacerdotum cardinalium, qui solempnisimum debent peragere officium in communicatione corporis et sanguinis domini nostri Jhesu Christi, ita ut vicissim et ordinabiliter eos sibimet succedere faciat. Quatenus a sacrosancto die dominico incipiendo per omnes horas canonicas indeclinabiliter perseveret, ut opus dei digne et etiam fucate perficiatur ab eo cui committitur, verens sententiam illius sapientis ubi dicitur: Maledictus, qui opos dei fecerit neglegenter. Provideat etiam archipresbiter vitam sacerdotum praeceptis sui episcopi obtemperando, ne aliqua aut scurrilitate torpeant. Sed reminiscantur, quod labia sacerdotis custodiunt scientiam, et legem requirent ex ore eius, quia angelus Domini certum (?) exercituum est. Si episcopus defuerit exceptis his que presbiteris prohibita sunt, cuncta archipresbiter provideat que sacerdotes perficere debent, id est fontes benedicere, infirmum oleo providere, penitentem infirmum consulto epis-

[1] MS constanter

copo reconciliare, penitentiam cunctis aliis sacerdotibus, que ad purgationem animarum pertinet, iniungere. In precipuis festivitatibus aut ipse celebrationem misse solemniter adimpleat aut sui oris iussionem, cui committitur, veneranter peragat, si is minime facere velit. Ita et hec alia archipresbiter que ab episcopo suo sibi committuntur disponat, ut in domo Dei omnia diligenter administrentur. Ut audiat a Domino quod servus bonus audivit qui erogavit conservis suis in tempore tritici mensuram, super omnia in quid bona sua constituet eum ypopanti conventus omnium.

[II.] Ministerium archidiaconi constat esse in ecclesia, ita ut quicquid sub episcopo est, illi videatur commissum. Consecratio videlicet perfectionis, que ab episcopo perfici debet. In archidiaconi providentia tradatur, ut ab ipso qui consecrandi sunt, discernantur, et utrum boni testimonii et vite sint perscrutentur, et sic deinceps ad perquirendum in praesentia deducantur episcopi. Ut autem inquisiti fuerint, iussionem archidiaconi conscribantur, in quo quisque gradu honoris suscipi debeant, et eodem ordine quo electi fuerunt ab archidiacono ante episcopum perducantur. Si quando vero ab archidiacono iuxta suum ordinem deducantur in presentia episcopi ad sinodum peragendam. Tempore autem confirmationis quo episcopus parrochiam suam confirmando visitare debet, archidiaconus in obsequium sui episcopi proficisci oportet, ut episcopus sui archidiaconi solamine fultus sine aliquo necessitatis discrimine gratiam sancti spiritus populis valeat impertire. Si vero aliqua necessitas aut invalitudo corporis episcopum ire non permiserit[2], oportet archidiaconum mittere, qui parrochiam suam visitet vitamque clericorum inquirat, si in uno conclavi poenes (!) ecclesiam dormiant, si ad officium inpretermisse occurrant, si caste et sobrie vivant, si nullo malo testimonio ab aliis hominibus discriminantur, et inter[3] cętera secundum canonicam auctoritatem quartam porcionem de reditibus a suo preposito percipiant. Perquirat etiam ab ipsis clericis vel ab aliis honestis hominibus de incestis et rebus inlicitis, et quod incongruenter repperit. Studiose in quantum praevalet emendare provideat, et quod minime valuerit corrigere suo episcopo studeat nuntiare. Requirat etiam diligenter de rebus ecclesię, ne aliqua diligentia (!) vel incuria seu etiam fraudulentia depereant. Viduarum, pauperum, pupillorum iuxta mandatum episcopi et suam possibilitatem curam gerat. In ęcclesia civitatis vasa altaris et cetera utensilia per manus archidiaconi studioso custodi tradatur custodienda ut nihil ex illis depereat, sed magna custodia serventur inlesa. Ordines standi in ecclesia et legendi tam diurne quam nocturne a prefato archidiacono vigilanti studio percurrentur nec aliqua incuria sacer ordo detrimentum patiatur, et quicquid sacri ordinis in ecclesia celebratur, ab archidiacono provideatur, preter missarum celebrationes, que alii ministro ab episcopo previdenda iubentur. De infantibus scilicet in pasca consignandis nichilominus archidiaconus procuret, ut secundum auctoritatem patrum ad scrutinium accedant, et que erga illos generanda sunt, summa industria perficiat. Si in plebibus archipresbiteri obierint aut pro aliquo reatu fuerint exinde eiciendi eiecti, archidiaconus quantocius properando proficiscatur

---

[2] MS: siverit

[3] MS: in

illuc, et cum clericis vel populis ipsius plebis electionem faciat, quatenus dignus pastor domui dei constituatur, et dum ordinatur ei provintia ipsa custodiatur plebes. Ita hęc et alia studiose omnia perficiat, quatenus episcopus in ipso securus parciat honera sua et domus dei diligenter custodita in nullo sentiat detrimentum pertulisse. Hęc a beato Petro apostolo instituta precepi quę huic nostre epistole credidi inserenda, ut romana hec nostra ęcclesia in nullo vacillet.

[III.] Custos ęcclesie, cui ea que ęcclesie competunt custodienda committuntur, oportet, ut sui archidiaconi iussionem cunctam obediat. In canonicis horis signa tintunabulorum pulsando ipso archidiacono iubente ab eo pulsentur, pallia vel linteamina altaris, seu cetera utensilia ęcclesie, indesinenter custodiat, lampades vel lanternas in accendendo seu extinguendo pervigil existat, ut ne super modum lucendo oleum depereat, aut minus lucendo obscurior sit ecclesia, sed omnia cum discretione agantur, quę noscitur esse omnium virtutum mater[4]. Si vero is cui ecclesia traditur custodienda, minus idoneus ad hoc opus peragendum extiterit, ab archidiacono suo coherceatur ut emendet. Si autem indevotus permanserit, archidiaconus[5] episcopo pronuncianda provideat, ut inepto indecenter eiecto aptus domui dei constituatur minister, ut omnia in laudem et nomen Domini fiat qualiter placari possit deus in ecclesia sua ab obsequentibus sibi.

CEO 3 nach MS Vich 39 (XXXV) (fol. 111 v)

[I.] Officium archipresbiteri de urbe constat esse quando ibi presul defuerit in vicem cuius officium inchoare, benedictiones in ecclesia dare, missam quando voluerit canere vel cui de sacerdotibus iusserit. Quando vero episcopus missam canit, debet precipere sacerdotibus, ut induant se vestimentis sacris, et qualiter cum ipso at missam procedant. Debet ętiam precipere custodi ecclesię, ut in sacrario eucharistia episcopi propter infirmos non desit. Debet infirmos previdere et previdendo precipere sacerdotibus, ne forte sine confessione vel confirmatione corporis et sanguinis domini nostri Jesu Christi moriantur. Confessiones vero peccatorum de urbe vel qui a foris veniunt cum ceteris sacerdotibus per iussionem pontificis ipse suscipere debet. Ad Christianos quoque et babtizandos infantes et ad succurrendum omnia a sacerdotibus per iussionem illius fiant, et omnem querimoniam sacerdotum tam de urbe quamque extra urbem que inter illos de omni negotio oritur ipse in vice episcopi sui definiat.

[II.] Officium vero archidiaconi est evangelium quando voluerit vel cui de diaconibus preceperit, et quando episcopus missam canit, ad iussionem illius induant se Levite vestimentis sacris, qualiter cum pontifice ad missam procedant; et omnem querimoniam seu causam vel iusticiam diaconorum, subdiaconorum, ipse debet definire, ordinare et facere.

[III.] Officium primicherii est omnem [!] officium ecclesiasticum previdere, responsoria et lectiones dare et auscultare in tantum, ut nullus evangelium, epi-

---

[4] mater om. MS
[5] MS: archidiacono

stolam, responsoria vel quamlibet lectionem in ecclesia legat vel cantet donec ante ipsum legatur seu cantetur. Subdiacones quoque et accolitos ipse ordinet, quis epistolam [!], quis candelabra, quis turibula legere vel defferre debeat.

[IV.] Custos vero ecclesię sollicitus preesse debet de omni ornamento ęcclesię, et luminaria et incensum, necnon et panem et vinum omni tempore ad missam preparata habere debet. Debet ętiam per singulas horas canonicas signum ex consensu *archipresbiteri*[6] sonare et omnes oblationes et elemosinas seu decimas cum eiusdem consensu absente episcopo inter fratres dividere.

[V.] In his *quattuor*[7] columnis ut sancta sancxit sinodus consistere alma mater debet ecclesia, et ad hoc opus tales ordinentur quales meliores et sanctiores esse videntur, ut nulla neglegentia in sancta ecclesia videretur. Hii *quattuor ministeriales*[a] *sanctę ęcclesię*[8] insimul iuncti uno animo et consilio peragant, et non sit invidia neque zelus inter illos.

In der Überlieferung dieses Traktats im klassischen kanonischen Recht ist insbesondere das Amt des *Primicerius* weggefallen, was man noch jetzt an dem unvollständigen Satz vor § 1 in X 1.23.2 erkennen kann, der mit einem zusammenhanglosen „et“ endet.

a) MS: ministerialis

Die Genese der C E O

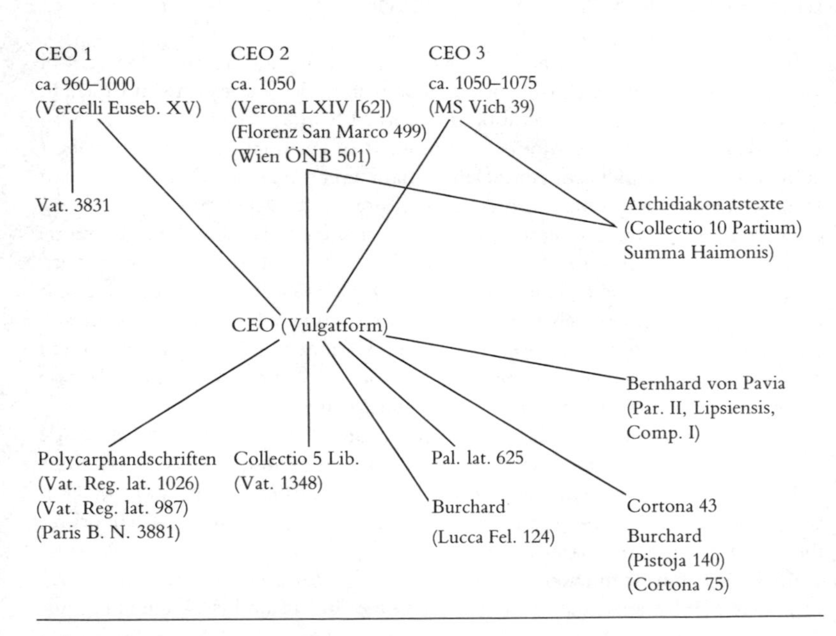

[6] Hervorhebung nicht im Original.
[7] Hervorhebung nicht im Original.
[8] Hervorhebungen nicht im Original.

Die ‚Duae leges' im kanonischen Recht des 12. Jahrhunderts*

I. Gratian zum Verhältnis von Mönchen und Regularkanonikern

Bekanntlich ist das Dekret des Magisters Gratianus, jenes für die Geschichte des Kirchenrechts wichtigste Rechtsbuch aus dem 12. Jahrhundert, in seinem zweiten Teil in 36 Rechtsfälle gegliedert, deren Erörterung und Lösung anhand der von Gratian gesammelten Quellen erfolgt.[1] Im neunzehnten dieser Fälle, der Causa XIX, beschäftigt sich Gratian mit folgendem Problem: Zwei Kleriker wollen in ein Kloster eintreten. Beide erbitten dazu die Erlaubnis des zuständigen Bischofs. Einer der Kleriker hat bisher eine eigene Kirche versorgt und stammt offenbar aus dem Pfarrklerus; der andere Kleriker will aus einer Gemeinschaft von Regularkanonikern ausscheiden und in ein Kloster übertreten. An diese Situation knüpft Gratian 3 Fragen:

1. Ist der Bischof grundsätzlich verpflichtet, seine Zustimmung zu geben, wenn ein Weltgeistlicher seine Kirche verlassen und in ein Kloster eintreten möchte?
2. Darf der Kleriker, wenn ihm die Zustimmung versagt wird, auch gegen den Willen des Bischofs in ein Kloster eintreten?
3. Soll es speziell Regularkanonikern freistehen, ihre Gemeinschaft zu verlassen und in ein Mönchskloster einzutreten?[2]

Der hier behandelte Fall war offenbar zur Zeit Gratians von größter aktueller Bedeutung. Die Gründung neuer Mönchs- und Chor-

---

* Vorgetragen am 8. 11. 1985 vor der Philosophisch-historischen Klasse der Bayerischen Akademie der Wissenschaften.

[1] Zu Gratian und seinem Dekret cf. einführend *Peter Landau*, Art. ‚Gratian', in: TRE XIV (1985) S. 124–130.

[2] Dict. Grat. ad C. 19 pr. (Decretum Magistri Gratiani, ed. *Emil Friedberg*, Leipzig 1879, Nd Graz 1959 [= Corpus Iuris Canonici, Editio Lipsiensis Secunda, pars 1], col. 839): „Modo queritur, si episcopus debeat permittere, ut relicta propria ecclesia clericus monasterium ingrediatur? Secundo queritur, si episcopus licentiam dare noluerit, an eo invito monasterium possit adire? Tertio, si contigerit ipsos regulares canonicos fuisse, utrum concedendus esset eis monasterii ingressus?"

herrengemeinschaften, vor allem der Zisterzienser und der Prämonstratenser, mußte zu vielen Fragen bei der Rekrutierung der Personen für die neuen Gemeinschaften und zu Zwist bei der Konkurrenz um die vollkommenste Verwirklichung der vita apostolica bei Mönchen oder Regularkanonikern führen.[3] Eine umfangreiche Traktatliteratur, in der diese Probleme diskutiert werden, ist uns besonders aus der ersten Hälfte des 12. Jahrhunderts erhalten.[4] Auf sie kann hier nur am Rande eingegangen werden. Es soll erörtert werden, wie das seit etwa 1140 maßgeblich von Gratian geprägte kanonische Recht diese Fragen beantwortete, auf welche Autoritäten sich der Magister dabei bezog und inwieweit seine Lösungen bei der weiteren Entwicklung des kanonischen Rechts Bestand hatten.

Ich folge der Darstellung Gratians, der in seiner ersten Frage auf die Pflicht des zuständigen Bischofs eingeht. Daß der Bischof hier grundsätzlich eine Kompetenz hat, wird schon bei der Formulierung des Falles vorausgesetzt – beide Kleriker haben ja ausdrücklich die Erlaubnis erbeten. Die erste Frage wird von Gratian unter Bezugnahme auf eine Bestimmung des 4. Konzils von Toledo bejaht.[5] Der Eintritt ins Kloster bedeutet grundsätzlich den Übergang in ein besseres Leben gegenüber der normalen Existenzform des Klerikers und

---

[3] Zur Forschung zu den Regularkanonikern und ihrem Verhältnis zu Mönchen grundlegend: *Charles Dereine*, Art. ‚Chanoines (Des origines au XIIIe siècle)', in: Dictionnaire d'histoire et de géographie ecclésiastiques 12 (1953) col. 353–405; ferner der Forschungsüberblick von *Stefan Weinfurter*, Neuere Forschung zu den Regularkanonikern im Deutschen Reich des 11. und 12. Jahrhunderts, in: Historische Zeitschrift 224 (1977) S. 379–397.

[4] Zur Traktatliteratur cf. *Jakob Mois*, Das Stift Rottenbuch in der Kirchenreform des XI.–XII. Jahrhunderts, (= Beiträge zur Altbayerischen Kirchengeschichte, 3. Folge, 19.Bd.) München 1953, S. 83–93; ferner *Stefan Weinfurter*, Vita canonica und Eschatologie. Eine neue Quelle zum Selbstverständnis der Reformkanoniker des 12. Jahrhunderts aus dem Salzburger Reformkreis, in: Secundum Regulam Vivere. Festschrift für Norbert Backmund, hrsg. von *Gert Melville*, Windberg 1978, S. 139–168.

[5] 4Conc. Toletanum anno 633, c. 50, ed. *José Vives*, Concilios visigoticos e hispano-romanos (= España cristiana 1) Barcelona/Madrid 1963, S. 208. Zur kanonistischen Überlieferung dieses Kanons cf. *Giorgio Picasso*, Monachesimo e canoniche nelle sillogi canonistiche e nei concili particolari, in: Istituzioni monastiche e istituzioni canonicali in occidente (1123–1215), (= Miscellanea del Centro di Studi Medioevali IX, Atti Settimana Mendola 1977) Milano 1980, S. 133–163, hier S. 145, Anm. 53 und S. 148.

soll deshalb jedem gewährt werden. Die im Westgotenreich das Klosterwesen begünstigende Bestimmung des 4. Konzils von Toledo steht historisch im Zusammenhang mit dem allgemeinen Gewicht des Mönchtums im Spanien des 7. Jahrhunderts;[6] sie war in den großen Rechtssammlungen des Burchard von Worms und des Ivo von Chartres tradiert worden, obwohl man die politische Bedeutung einer solchen Regel in der Zeit der Eigenkirche wohl als gering einschätzen muß.[7] Auch für Gratian ist es nur eine Art Sollvorschrift, wie sich aus der unmittelbar folgenden Quaestio II ergibt: Verweigert nämlich der Bischof seine Zustimmung, so darf ein fremder Kleriker nirgends aufgenommen werden.[8] Diese in einem Brief Leos des Großen auf das Verhältnis bischöflicher Zuständigkeiten beim Wechsel eines Klerikers in eine andere Diözese bezogene Bestimmung wird von Gratian auch auf den Fall angewandt, daß ein Kleriker Mönch werden wolle; auch dann wäre er ein ‚clericus transfuga', wie es bei Leo in dem von Gratian nicht rezipierten Teil des Leobriefes heißt.[9] Die Freiheit des Klerikers, sich für das bessere Leben als Mönch zu entscheiden, würde demnach in einer Ordnungsvorschrift ihre Grenze finden, die es letzlich in das Ermessen des Bischofs stellt, ob er dem Kleriker seine Zustimmung zum Eintritt ins Kloster erteilen möchte – die Vorschrift von Toledo ist nicht mehr als eine Empfehlung an den Bischof, zugunsten des Klostereintritts zu entscheiden.

An dieser Stelle bringt aber nun Gratian als weitere Autorität einen anderen Text, der angesichts der nicht einheitlichen älteren Tradition als relativ neue Bestimmung Papst Urbans II. die beiden ersten Fra-

---

[6] Zur Entwicklung des Mönchtums im Westgotenreich cf. *Anscari Mundo*, Il monachesimo nella peninsola iberica fino al sec. VII. Questioni ideologiche e letterarie, in: Il monachesimo nell'alto medioevo e la formazione della civiltà occidentale (= Settimana Centro Italiano di studi nell'alto Medioevo Spoleto 4) Spoleto 1957, S. 73–108.

[7] Bei Burchard, Dekret 8.21; Ivo, Dekret 6.371 und Collectio Tripartita 2. 37. 17 – cf. *Friedberg* (wie Anm. 2) col. 839f., Anmerkung 5 zu C.19, q. 1, c. 1.

[8] Dictum Grat. ad C. 19, q. 2 pr.: „Invito vero episcopo clericum eius a nullo esse suscipiendum, Leo Episcopus testatur. . .".

[9] Leo I., Ep. XIV ad Anastasium ep. Thessalonicens. JK 411, c. 9 (PL 54, col. 674): „*De clericis transfugis.* Alienum clericum, invito episcopo ipsius, nemo suscipiat, nemo sollicitet, nisi forte ex placito charitatis id inter dantem accipientemque convenerit."

gen seines Falls lösen soll. Es ist das berühmte, nach Meinung vieler Kanonisten seit dem Gratianforscher *Berardi* im 18. Jahrhundert ‚dubiose' Kapitel ‚Duae sunt, inquit leges'.[10]

Gehen wir zunächst vom Text des Kapitels aus. Der Autor dieses Textes setzt sich mit dem Problem auseinander, daß ein Weltgeistlicher mit seelsorgerlichen Pflichten sich aufgrund einer Eingebung des heiligen Geistes in ein Kloster begeben möchte – die Hinzufügung ‚vel regulari canonica' ist offenbar erst sekundär in den Text hineingekommen.[11] Ähnlich wie Gratian meint der Autor von ‚Duae sunt, inquit', daß das Verbot des Übergangs von einem Bistum ins andere auch für unseren Fall des Klostereintritts gelte, was jedenfalls aus dem Wortlaut bei Leo I. nicht zwingend abzuleiten war. Wenn das Verbot so weit auszulegen ist, müßte an sich die Zustimmung des Bischofs zum Klostereintritt vorliegen. Es folgt aber im Urbantext zunächst eine teleologische Reduktion der Verbotsnorm. Die Notwendigkeit einer Erlaubnis des Bischofs sei dadurch begründet, daß sonst infame Kleriker geistliche Amtshandlungen unerkannt in der fremden Diözese vornehmen könnten. Diese Begründung ist schon insofern interessant, als sie die Bindung des Klerikers an seine Diözese nicht mehr auf die Ordination zurückführt und daher weit entfernt von den Denkstrukturen der Alten Kirche ist.[12] Wenn aber

---

[10] Cf. *Carlo Agostino Berardi*, Gratiani canones genuini ab apocryphis discreti, Bd. II/2, Taurini 1755, S. 447–448. Berardi bestreitet bereits die Autorschaft Urbans und nimmt an, daß das Kapitel „ab otioso quodam monacho" fabriziert worden sei.

[11] Es handelt sich um den Passus: ‚si afflatus Spiritu sancto in aliquo monasterio *vel regulari canonica* salvare se voluerit'. Der Zusatz erscheint in der Form ‚vel canonica regulari' vor Gratian zuerst in der Überlieferung des Kapitels in der Sammlung von MS Vat. lat. 1361 – cf. hierzu *Horst Fuhrmann*, Papst Urban II. und der Stand der Regularkanoniker, in: Sitzungsberichte Bayer. Ak. d. Wiss., Phil.-hist. Kl., Jg. 1984/2, S. 3–44, hier S. 21, Anm. 49; ebenso *ders.*, Un papa tra religiosità personale e politica ecclesiastica: Urbano II (1088–1099) ed il rapimento di un monaco benedettino, in: Studi Medievali 3e ser. 27/1 (1986) S. 1–21, hier S. 16, Anm. 31. In der zweiten Arbeit ediert Fuhrmann JL 5760 (= C. 19, q. 2, c. 2) aufgrund der Überlieferung in der Sammlung Polycarp auf S. 15. Cf. auch *ders.*, Das Papsttum zwischen Frömmigkeit und Politik – Urban II. (1088–1099) und die Frage der Selbstheiligung, in: Deus qui mutat tempora. Festschrift für Alfons Becker zu seinem fünfundsechzigsten Geburtstag, Sigmaringen 1987, S. 157–172 – hier ebenfalls Edition von JL 5760 auf S. 168.

[12] Cf. zur Bindung des Klerikers an die Diözese durch die Ordination: *Vinzenz*

das Erfordernis einer Erlaubnis nur mit der Notwendigkeit zu begründen ist, den infamen Klerikern das Handwerk zu legen, dann ist es folgerichtig, daß sie für einen vom Heiligen Geist hervorgerufenen Entschluß zum Klostereintritt nicht erforderlich sein sollte. Damit hätte unser Text die Nichtgeltung des Gebots bischöflicher Zustimmung logisch begründen können. Aber diese Argumentation wird nun in ‚Duae sunt' in einen weiteren geradezu rechtstheoretischen Rahmen hineingestellt. Der Autor des von Gratian rezipierten Textes beginnt damit, daß er zwei Normenbereiche unterscheidet – duae leges! Diese ‚leges' werden einmal als ‚lex publica', zum anderen als ‚lex privata' bezeichnet.[13] Bei solcher Terminologie möchte man zunächst an Übernahmen aus dem römischen Recht denken, vermittelt über Texte, die den Sprachgebrauch der römischen Rechtsquellen nicht mehr genau wiedergaben, nämlich vor allem die Ethymologien des Isidor von Sevilla. In der Tat findet man aber bei Isidor das Begriffspaar ‚leges publicae' und ‚leges privatae' nicht, vielmehr die Identifizierung des Begriffs ‚privatae leges' mit dem der Privilegien.[14] In der Sache hat die Distinktion in ‚Duae sunt' mit Isidor überhaupt nichts zu tun, sondern beruht auf einem originellen Denkansatz, der zunächst dargestellt werden soll.

‚Lex publica' ist in unserem Text jede schriftlich formulierte Norm, vor allem als ‚lex canonum' die gesamte schriftliche Überlieferung des kanonischen Rechts. Der Verfasser geht davon aus, daß es sich dabei primär um Vorschriften mit Sanktionen handeln müsse, da sie wegen der Übertretungen schriftlich fixiert seien. Dieser ‚lex pu-

---

Fuchs, Der Ordinationstitel von seiner Entstehung bis auf Innozenz III. (= Kanonistische Studien und Texte 4) Bonn 1930.

[13] C.19, q. 2, c. 2: „Publica lex est, que a sanctis Patribus scriptis est confirmata, ut lex est canonum, que quidem propter transgressiones est tradita ... Lex vero privata est, que instinctu S. Spiritus in corde scribitur ...".

Cf. zu dieser Distinktion *Hans Müllejans*, Publicus und privatus im römischen Recht und im älteren kanonischen Recht unter besonderer Berücksichtigung der Unterscheidung Ius publicum und Ius privatum (= Münchener Theologische Studien, Abt. III: Kanonistische Abteilung, Bd. 14) München 1961, S. 103–104: die hier entwickelte Bedeutung sei dem römischen Recht fremd und auch in den früheren Sammlungen des kanonischen Rechts nicht enthalten.

[14] *Isidor von Sevilla*, Etymologiae lib. V, c. 18 (ed. *W. M. Lindsay*, vol. I, Oxford 1911, Nd 1985): „Privilegia autem sunt leges privatorum, quasi privatae leges." Cf. hierzu *Müllejans* (wie Anm. 13) S. 70f.

blica', die bei aller Unbeholfenheit des begrifflichen Ausdrucks doch schon nahe an eine Vorstellung von positivem Recht führt und die jedenfalls als eine umfassende Ordnung gedacht ist, steht nun die ,lex privata' gegenüber, die ihrerseits gar nichts mit Privatrecht im römischen oder modernen Sinne zu tun hat. ,Lex privata' ist das dem einzelnen ins Herz geschriebene göttliche Gesetz, das ihm die Maßstäbe liefert, um sich gegebenenfalls auch gegen die ,lex publica' entscheiden zu können. Begründet wird die Existenz einer solchen ,lex privata' mit einem bei Gratian erweiterten Zitat aus dem Römerbrief, also mit den berühmten ,naturrechtlichen' Kategorien der paulinischen Theologie.[15] Da die ,lex privata' eine ,lex Dei' ist, was offenbar die ,lex publica canonum' nicht ohne weiteres ist, steht sie auch in einer Art Normenhierarchie über dem positiven kirchlichen Recht, was zu dem Satz führt: „Dignior est enim lex privata quam publica". Und schließlich verknüpft der Autor seinen Begriff einer ,lex privata' noch mit der pneumatologischen Aussage des Paulus im 2. Korintherbrief, daß der Geist Gottes die Freiheit sei.[16] Die ,lex privata' ist folglich inhaltlich strukturiert als Freiheitsrecht gegenüber den Verbotsnormen der ,lex publica'; sie gilt unabhängig von schriftlicher Fixierung und kann, so wird man aus dem Beispiel folgern müssen, offenbar zumindest in Bereichen religiöser Grundentscheidungen geltend gemacht werden. ,Duae sunt' ist, wenn man das Kapitel unabhängig von seiner fallbezogenen Anwendung als grundsätzliche Aussage liest, in der Tat ein erstaunlicher Text, eine biblisch inspirierte Proklamation von Christenrechten jenseits positivrechtlicher Statuierung, die bei einer Interpretation im Sinne eines Rechtsprinzips nicht nur als ,Vorstufe der Situationsethik' bezeichnet werden kann, wie ein moderner Autor (*Rudolf Weigand*) sagt,[17] sondern

---

[15] Römer 2,15 und 2,14. Das Pauluszitat lautet in der ursprünglichen Überlieferung (cf. ed. *Fuhrmann*, wie Anm. 11): „,Qui habent legem scriptam in cordibus suis' et ,ipsi sibi sunt lex.'" Gratians Fassung lautet: „,Qui habent legem scriptam in cordibus suis' et alibi ,Cum gentes legem non habeant, si naturaliter ea, que legis sunt, faciunt, ipsi sibi sunt lex.'"

[16] 2.Kor. 3,17. In C. 19, q. 2, c. 1: „Ubi spiritus Dei, ibi libertas."

[17] Cf. *Rudolf Weigand*, Die Naturrechtslehre der Legisten und Dekretisten von Irnerius bis Accursius und von Gratian bis Johannes Teutonicus (Münchener Theologische Studien, Abteilung III: Kanonistische Abteilung, Bd. 26) München 1967, S. 130f.; *ders.*, Die Rechtslehre der Scholastik, bei den Dekretisten und Dekretalisten, in: La norma en el derecho canónico, Actas del III Congreso Inter-

geradewegs zu einer Relativierung jeder kirchlichen Rechtsordnung führen konnte. Das wurde bereits im 18. Jahrhundert von *Carlo Sebastiano Berardi* bemerkt, der in seinem Werk ‚Gratiani canones genuini ab apocryphis discreti' zu unserem Kapitel ‚Duae sunt' schreibt: „Quod enim majus et schismatibus et haeresibus, ipsis etiam immanibus flagitiis patrocinium accedere potest, quam haec de privata lege legi publicae anteferenda doctrina, cujus sane praetextu nullae leges, nulla jura optime sanctissimeque firmata usquam consistent."[18]

Es handelt sich bei ‚Duae sunt' nicht nur um eine für das 12. Jahrhundert ungewöhnliche, ja singuläre Verwendung der Begriffe ‚lex publica' und ‚lex privata', sondern darüber hinaus um die Entwicklung eines rechtstheoretischen Modells, das nicht nur naturrechtliche Begrenzungen für positive Rechtssätze in Grenzsituationen enthält, wie dies für die naturrechtlichen Topoi der menschlichen Freiheit und des Gemeineigentums in der Diskussion der Kanonisten generell galt,[19] sondern einen Gedanken enthielt, der unmittelbar zur Durchbrechung positiver Rechtssätze durch die Idee eines überpositiven subjektiven Rechts herangezogen werden konnte.[20] Woher bezog

---

nacional de Derecho Canónico, Pamplona, 10–15 octubre de 1976, Pamplona 1979, Bd. I, S. 81–110, hier S. 95f. *Weigand* geht davon aus, daß über die genaue Herkunft des Textes keine letzte Klarheit bestehe.

[18] *Berardi* (wie Anm. 10) S. 448.

[19] Das Buch von *Weigand*, Die Naturrechtslehre (wie Anm. 17) gibt einen umfassenden Überblick über die kanonistische Diskussion dieser Fragen, vor allem S. 259–282 und S. 336–360.

[20] Die Frage, inwieweit im 12. und 13. Jahrhundert bereits der Begriff subjektiver Individualrechte entwickelt wurde, ist während der letzten Jahre vor allem in einigen wichtigen Studien von *Brian Tierney* erörtert worden. Tierney setzt sich darin mit der These des französischen Rechtsphilosophen *Michel Villey* auseinander, daß der Begriff des subjektiven Rechts zuerst von Wilhelm von Ockham gefunden worden sei und mit der nominalistischen Philosophie zusammenhänge. Mit Recht weist Tierney darauf hin, daß bereits die Kanonisten der Zeit zwischen Gratian und Bonifaz VIII. den Begriff ‚ius' auch im Sinne des subjektiven Rechts definierten – Ockham habe in diesem Bereich keineswegs eine ‚semantische Revolution' verursacht. Tierney sieht in der christlichen Kultur des 12. Jahrhunderts den Humusboden (‚seedbed'), auf dem die Idee subjektiver Rechte entstehen konnte – er verweist dabei auf *Sikard von Cremona* und *Huguccio*. Die Bedeutung des Texts ‚Duae sunt leges' besteht darin, daß wir in ihm das wohl deutlichste Zeugnis für den Begriff des subjektiven Rechts schon in der Epoche *vor Gratian* haben. Cf. zu diesen Fragen *Brian Tierney*, Religion and Rights: A Medieval Perspective, in: The Journal of Law and Religion 5 (1987) S. 163–175 und *ders.*,

Gratian dieses Modell der ‚dignior lex privata' und wie wirkte es sich in der späteren Entwicklung des kanonischen Rechts aus?

Ehe ich im einzelnen auf diese Fragen eingehe, möchte ich aber doch noch die dritte Frage des gratianischen Rechtsfalls behandeln, ob nämlich auch Regularkanoniker die Freiheit hatten, ohne Erlaubnis in ein Mönchskloster einzutreten.

Diese dritte Frage löst Gratian mit drei Autoritäten im ersten Teil seiner Quaestio III;[21] die dann anschließenden Teile (Partes) der Quaestio III behandeln Detailprobleme bei Eintritt bzw. Übertritt, die nicht unmittelbar mit der Frage der individuellen Entscheidungsfreiheit zu tun haben.

Die Frage des Übertritts des Regularkanonikers zum Mönchskloster konnte im 12. Jahrhundert nicht einfach mit dem Hinweis auf den höheren Rang des Status eines Mönchs gelöst werden; denn gerade darin gab es keinen Konsens, sondern fundamentale Wertungsdifferenzen zwischen verschiedenen Reformbewegungen. Abgesehen von Vergleichen zwischen Gelübden und Aufgaben der jeweiligen Gemeinschaften bot sich zur Entscheidung der Frage besonders ein quasi kirchenhistorisches Argument an. Gegen die Berufung auf die ehrwürdige Tradition des Mönchtums in der Kirche konnten die Regularkanoniker geltend machen, daß schon die Apostel mit

---

Villey, Ockham and the Origin of Individual Rights, in: The Weightier Matters of the Law: A Tribute to Harold Berman, ed. by *J. Witte* and *F. S. Alexander*, Atlanta 1988, S. 1–31. Der eigentliche Kern der These von Villey ist es, daß der Ursprung der Idee subjektiver Menschenrechte in einer theologischen Begriffsbildung von Nicht-Juristen gefunden werden könne; er beruhe auf der christlichen Freiheitsdoktrin, cf. *Michel Villey,* Notes critiques sur les droits de l'homme, in: Europäisches Rechtsdenken in Geschichte und Gegenwart, Festschrift für Helmut Coing zum 70. Geburtstag, Bd. I, München 1982, S. 691–701, hier S. 695f. „... cette invention de ‚droit de l'homme' fut une oeuvre de non-juristes. Leur principale origine est théologique... C'est donc ailleurs qu'il faut chercher les racines de notre concept à travers la doctrine chrétienne de la liberté." In bezug auf diese Grundthese kann ich Villey zustimmen; jedoch liegen die theologischen Wurzeln dieser modernen Rechtsidee nicht in der nominalistischen Spätscholastik, sondern in der Theologie der *Frühscholastik*.

[21] C. 19, q. 3, c. 1–3. Den Gehalt dieser Bestimmungen faßt Gratian in folgenden Dicta zusammen: „Canonicos autem regulares ad monasterium transire multis auctoritatibus prohibetur" und „Subaudiendum vero est, nisi cum patris sui licentia religionis propositum induerit"(Dict. ante C. 19, q. 3, c. 1 und p. C. 19, q. 3, c. 2).

Verzicht auf Privateigentum, aber Verpflichtung zur Mission und Seelsorge das Modell einer ‚vita regularis' ausgebildet hätten und folglich ihre Lebensform sich bis auf die Urkirche zurückführen lasse. Ein Kloster gebe also keineswegs die Chance einer ‚melior vita' gegenüber einem Chorherrenstift. Es kann daher nicht überraschen, daß Gratian in der kanonistischen Tradition bereits zwei normative Texte vorfand, die eindeutig das Überwechseln der Regularkanoniker in einen Mönchsorden verboten. Der erste Text soll von einem Konzil von Autun unter Gregor VII. stammen, das tatsächlich 1077 stattgefunden hat;[22] er verbietet eindeutig die Abwerbung eines Kanonikers durch den Abt oder Mönch eines Klosters zum Eintritt in einen Mönchskonvent. Derartige Versuche werden in dem Konzilskanon mit der Exkommunikation bedroht. Der zweite Text wird wie ‚Duae sunt' als eine Anordnung Urbans II. angeführt.[23] Dieser Papst soll durch allgemeine Anordnung untersagt haben, daß außer im Fall von Delikten irgendein Regularkanoniker zum Mönch gemacht werde; bei Übertretung dieses Verbots soll der Kanoniker zwangsweise in seinen früheren Konvent zurückgebracht, dort durch weiteres Tragen der Mönchskutte als ein Paria behandelt werden und an letzter Stelle im Stiftskapitel rangieren. Beide Verbote waren ganz allgemein gehalten, aber auch hier begnügte sich Gratian nicht mit der Wiedergabe der Verbote, sondern fügt ein weiteres Dekret Urbans II., gerichtet an den Saint-Ruf-Konvent in Avignon, hinzu, wonach das Ausscheiden aus einem Kanonikerstift mit Zustimmung des jeweiligen Vorstehers und des Stiftskapitels erlaubt sein soll.[24] Diese differenzierende Lösung findet den Beifall Gratians – sie stellte bei deutlicher Betonung der Interessen der Regularkanoniker einen Kompromiß dar. Im Ergebnis präsentiert sich uns Gratian also nicht als einseitiger Verfechter von Regularkanonikerinteressen wie andere zeitgenössische Rechtssammler, so daß der Gesamtkomplex der genannten Texte jedenfalls nicht gegen die Richtigkeit der alten Tradition seiner Zugehörigkeit zu einem Mönchsorden spricht.[25] Anderer-

[22] C. 19, q. 3, c. 1: „Nullus abbas vel monachus . . .".

[23] C. 19, q. 3, c. 2: „Mandamus. . ." Dieses Kapitel wurde von Fuhrmann nach der Überlieferung in Polycarp 4. 32. 83 neu ediert; cf. *Fuhrmann*, Papst Urban II. (wie Anm. 11) S. 19.

[24] C. 19, q. 3, c. 3: „Statuimus . . .".

[25] Zu diesem Problem *Landau*, Gratian (wie Anm. 1) in Auseinandersetzung

seits ist im Zusammenhang des Konkurrenzproblems zwischen Regularkanonikern und Mönchen von der ‚lex privata' nicht mehr die Rede; die Lösung wird nicht über individuelle Gewissensentscheidungen, sondern über strikte Regelungen einer ‚lex publica' gewonnen. Hier zeigt sich, daß Gratian selbst die Distinktionen von ‚Duae sunt' nicht im Sinne eines allgemeinen Rechtsprinzips verwendete.

II. Die Quellen der gratianischen Texte

Woher bezog nun aber Gratian die von ihm angeführten und miteinander harmonisierten Texte? Bei dieser Fragestellung sind natürlich zwei Fragen zu unterscheiden:

1. diejenige der *Textidentifikation*, des Nachweises der ursprünglichen Formulierung eines Textes, und
2. diejenige der *Provenienzanalyse*, des Nachweises derjenigen Stelle, von der Gratian seinen Text unmittelbar bezog.[26]

Bei beiden Fragen ergeben sich im Fall einiger der hier erörterten Texte Probleme.

Es seien zunächst die beiden ersten Texte betrachtet: die Vorschrift des 4. Konzils von Toledo und die Stelle aus Leos des Großen Brief an Anastasius von Thessalonich. In beiden Fällen ist die Textidentifikation kein Problem und bereits aus Friedbergs Apparat zur Gratianausgabe zu entnehmen. Wie steht es aber mit der direkten Provenienz dieser Kapitel? Im Fall des Konzils von Toledo finden wir bei Fried-

---

mit den von *John T. Noonan* angemeldeten Zweifeln an der Glaubwürdigkeit der auf die Summa Parisiensis um 1170 zurückgehenden Überlieferung; cf. *John T. Noonan*, Gratian slept here: The Changing Identity of the Father of the Systematic Study of Canon Law, in: Traditio 35 (1979) S. 145–172; außerdem *Peter Landau*, Die Anklagemöglichkeit Untergeordneter vom Dictatus Papae zum Dekret Gratians. Ein Beitrag zur Wirkungsgeschichte gregorianischen Rechtsdenkens, in: Ministerium Iustitiae, Festschrift für Heribert Heinemann, hrsg. von *André Gabriels/Heinrich J. F. Reinhardt*, Münster 1986, S. 373–383; *Stephan Kuttner*, Research on Gratian: Acta and Agenda, in: Proceedings of the Seventh International Congress of Medieval Canon Law Cambridge 1984, hrsg. von *Peter Linehan* (= MIC, Ser. C, Vol. 8) Città del Vaticano 1988, S. 3-26, hier S. 6f.

[26] Zur methodischen Unterscheidung von Textidentifikation und Provenienzanalyse cf. *Max Kerner, Franz Kerff, Rudolf Pokorny, Karl Georg Schon, Hubert Tills*, Textidentifikation und Provenienzanalyse im Decretum Burchardi, in: Studia Gratiana XX (= Mélanges Gérard Fransen II) Rom 1976, S. 18–63.

berg eine Reihe von Angaben über das Vorkommen in früheren Rechtssammlungen. Diese Angaben wären noch zu ergänzen, vor allem um die in Italien um 1120 zusammengestellte Sammlung in 3 Büchern, die nach den Ergebnissen der neueren Forschung sicher in erheblichem Umfang von Gratian exzerpiert worden ist.[27] Der unmittelbar vor Kapitel 50 in der Überlieferung des 4. Konzils von Toledo enthaltene Kanon wird von Gratian in der Causa 19, also bald folgend auf unsere Stelle, zitiert.[28] Es spricht vieles dafür, daß Gratian beide Stellen der gleichen von ihm benutzten Rechtssammlung entnahm. Als solche Gratian zeitlich nahestehende Rechtssammlungen müssen außer der bereits erwähnten Drei-Bücher-Sammlung, die beide Texte unmittelbar nebeneinander enthält, auch noch Ivos Tripartita und die in Italien um 1111 entstandene Sammlung Polycarp genannt werden.[29] Eine Entscheidung zwischen diesen Möglichkeiten fällt schwer. Wegen einiger Übereinstimmungen in Inskriptionen und Rubriken halte ich es für das Wahrscheinlichste, daß Gratian beide Texte aus der Tripartita bezog.[30] Jedenfalls fand er die Bestimmung von Toledo in dem Magazin von Sammlungen, mit dem er hauptsächlich arbeitete, gleich mehrfach vor.

Eindeutiger als im ersten Fall könnte das Ergebnis der Provenienz-

---

[27] Cf. hierzu *John Erickson*, The Collection in Three Books and Gratian's Decretum, in: Bulletin of Medieval Canon Law N. S. 2 (1972) S. 67–75.

[28] C.20, q. 1, c. 3 (= 4 Conc. Tol. c. 49).

[29] Die Gratiankapitel erscheinen in den genannten Sammlungen an folgenden Stellen:

C.19, q. 1, c. 1 = 3 Lib. 2.29.4 (fol. 113ra) = Trip. 2. 37. 17 = Pol. 3. 15. 25 und 4. 35. 19.

C.20, q. 1, c. 3 = 3 Lib. 2.29.5 (fol. 113ra) = Trip. 2. 37. 16 = Pol. 4. 35. 20.

Für die Sammlung in 3 Büchern benutze ich die Gratian nahestehende Handschrift Pistoja Arch. cap. 135; für die Tripartita habe ich MS Vat. lat. Reg. 373 verwendet; für die Sammlung Polycarp die Arbeit von *Uwe Horst*, Die Kanonessammlung Polycarpus des Gregor von S. Grisogono. Quellen und Tendenzen (= Monumenta Germaniae Historica, Hilfsmittel 5) München 1980.

[30] Folgende Übereinstimmungen sind zu verzeichnen: In der Tripartita werden wie in der Drei-Bücher-Sammlung beide Kanones unmittelbar nebeneinander gebracht. Die Tripartita ordnet C. 20, q. 1, c. 3 dem vierten Konzil von Toledo zu, während es in der Drei-Bücher-Sammlung als Kanon eines Konzils von Toledo ohne Numerierung erscheint. Die Rubriken lauten in der Tripartita: „De clericis qui monachorum propositum appetunt" (Trip. 2. 37. 17) und „De professione monachi" (Trip. 2. 37. 16).

analyse beim zweiten Beispiel, dem Brief Leos des Großen, sein. Hier ist zunächst Friedbergs Apparat um die Tripartita und wiederum die Drei-Bücher-Sammlung zu ergänzen.[31] Eine Provenienzentscheidung wird uns hier aber durch die falsche Adresse bei Gratian: ‚Leo Rustico Narbonensi episcopo' ermöglicht. So hat etwa Ivo von Chartres in seinem Dekret die richtige Adresse: ‚Leo Anastasio Thessalonicensi episcopo', andere Sammlungen (Regino, Drei-Bücher) nennen überhaupt keinen Adressaten.[32] Die unmittelbare Quelle Gratians scheint mir hier unzweifelhaft Anselm von Lucca zu sein; denn allein hier finden wir Gratians falsche Adresse und auch eine übereinstimmende Sachrubrik.[33]

Schwieriger wird die Aufgabe der Bestimmung von ‚fons formalis' und ‚fons materialis' aber im Fall der übrigen Texte: Urban II. und das Konzil von Autun.

Ich behandle zunächst die 3 Urban-Texte. Die erste Frage muß sein, ob diese Texte überhaupt von Urban II. stammen. Seit den Forschungen *Stephan Kuttners* wissen wir, daß bei Gratian zahlreiche Kapitel unter dem Namen dieses Papstes überliefert werden, die ganz anderen Ursprungs sind; manche stammen von dem gregorianischen Polemiker Placidus von Nonantola.[34] Die Aufgabe von Identifikation und Provenienzbestimmung ist am leichtesten hinsichtlich Urbans Mandat ‚Statuimus'(C. 19, q. 3, c. 3), das in die von *Horst Fuhrmann* analysierte Gruppe der Privilegien Urbans II. für Regularkanoniker gehört. Es handelt sich um ein Exzerpt aus einer Urkunde für die Abtei St.-Rufus bei Avignon, einem damals bereits berühmten Zentrum von Chorherren, die im Volltext in einem ‚Vidimus' von 1487 erhalten ist.[35] Zur Quaestio III bei Gratian, der Frage des Über-

---

[31] C. 19, q. 2, c. 1 = Trip. 1.44.26 = 3 Lib. 2.5.14.

[32] Cf. Ivo, Dekret 6.69 – überprüft an den Handschriften.

[33] Ans. 7.152 (ed. *Friedrich Thaner*, Innsbruck 1906–15, Nd Aalen 1965, S. 425): „Ne quis clericum alicuius episcopi illo invito suscipiat. Leo episcopus Rustico Narbonensi episcopo".

[34] *Stephan Kuttner*, Brief notes: Urban II and Gratian, in: Traditio 24 (1968) S. 504f.; *ders.*, Urbano II, Placido da Nonantola e Graziano, in: Annali della Facoltà di Giurisprudenza Genova 9 (1970) S. 1–3.

[35] Cf. *Fuhrmann*, Papst Urban II. (wie Anm. 11) S. 7f. mit Anm. 14. Es handelt sich um JL 5763 – nach dem Vidimus von 1487 im ‚Codex diplomaticus ordinis Sancti Rufi Valentiae', hrsg. von *Ulysse Chevalier*, Valence 1891, no. V, S. 8f.

tritts der Regularkanoniker zu einem Mönchskloster, entwickelt der Text den Grundsatz, daß der Übertritt nur mit Erlaubnis des Abtes und der gesamten Gemeinschaft – ‚totiusque congregationis' – möglich sei. Die Regularkanoniker werden im Text der Urkunde hinsichtlich des Rangs des religiösen Lebens den Mönchen gleichgestellt: „non minoris itaque estimandum est meriti vitam hanc Ecclesiae primitivam aspirante ac prosequente divino Spiritu suscitare."[36] Das in der Urkunde enthaltene Übertrittsverbot mit Erlaubnisvorbehalt wurde bald in kanonistischen Sammlungen wie ein allgemein anwendbarer normativer Text überliefert, so zuerst im Dekret und der Tripartita Ivos von Chartres um 1095, so daß die Urkunde wohl spätestens kurz vor 1095 anzusetzen ist.[37] Nach Ivo von Chartres haben vor allem die Kompilatoren französischer Kanonessammlungen des 12. Jahrhunderts Urbans Verordnung für St.-Ruf überliefert; in Italien taucht der Text nur in einer Erweiterung des Anselm um 1110 in Lucca auf.[38] Gratian selbst dürfte den Text Ivo von Chartres entnommen haben, da er dessen Sammlungen zumindest in der Form der Tripartita und der Panormie benutzt hat.[39] Ursprung des Textes und Provenienz bei Gratian lassen sich also klären.

---

[36] Cf. *Chevalier* (wie Anm. 35) S. 8.

[37] Die Datierung von JL 5763 vor 1095 ergibt sich aus der Rezeption des Textes in den Sammlungen des Ivo von Chartres; ansonsten läßt sich als Terminus post quem nur der Beginn des Pontifikats Urbans II. angeben; cf. *Wilhelm Levison*, Eine angebliche Urkunde Papst Gelasius' II. für die Regularkanoniker, in: ZRG Kan.Abt. 8 (1918) S. 27–43, hier S. 32, Anm. 3.

[38] Zur kanonistischen Überlieferung von ‚Statuimus' cf. außer den Angaben bei *Friedberg* (n. 13 zu C. 19, q. 3, c. 3) vor allem *Charles Dereine*, L'élaboration du statut canonique des chanoines réguliers spécialement sous Urbain II, in: Revue d'histoire ecclésiastique 46 (1951) S. 534–565, hier S. 554–557. In der Rezension Bb des Anselm von Lucca (zu ihr unten Anm. 41) begegnet das Kapitel am Ende von Buch VII auf fol. 208v. Cf. auch *Karl Bosl*, Das Verhältnis von Augustiner-Chorherren (Regularkanoniker), Seelsorge und Gesellschaftsbewegung in Europa im 12. Jahrhundert, in: Istituzioni monastiche e istituzioni canonicali in occidente (1123–1215) (= Miscellanea del Centro di Studi Medioevali IX, Atti Settimana Mendola 1977) Milano 1980, S. 419–549, hier S. 506, der in ‚Statuimus' (JL 5763) ein Modell für spätere Papsturkunden zugunsten der Regularkanoniker bis zum Pontifikat Innocenz' II. sieht und eine Aufzählung der entsprechenden Papstschreiben gibt.

[39] Cf. hierzu *Peter Landau*, Neue Forschungen zu vorgratianischen Kanonessammlungen und den Quellen des gratianischen Dekrets, in: Ius Commune XI (1984) S. 1–29.

Gegenüber dieser differenzierenden Anordnung Urbans in der St.-Ruf-Urkunde steht nun die Proklamation unbedingter individueller Freiheit bei der Wahl der monastischen Lebensform, wie sie in dem Kapitel ‚Duae sunt' erklärt wird. Ist es denkbar, daß auch dieser Text von Urban II. stammt und gar ‚in capitulo sancti Rufi' formuliert wurde, vielleicht beim Aufenthalt des Papstes in St.-Ruf zu Avignon auf der Reise zum Konzil von Clermont im Jahre 1095? Wo ist dieser Text entstanden und wie gelangte er zu Gratian?

Hierzu kann zunächst festgestellt werden, daß der Text von ‚Duae sunt' uns keineswegs in einer Quelle aus der Zeit Urbans II. überliefert ist. Er taucht in verschiedenen Kanonessammlungen der ersten Hälfte des 12. Jahrhunderts auf, die mit einer Ausnahme, der Caesaraugustana, italienischen Ursprungs sind.[40] Von ihnen stammen die ältesten Sammlungen aus der Zeit des Pontifikats Paschalis' II. Es sind dies die Sammlung Polycarp des Kardinals Gregor von S. Grisogono, die nach 1111 fertiggestellt wurde, und ferner eine Erweite-

---

[40] Das Kapitel ‚Duae sunt' (JL 5760) wird überliefert in der Sammlung Polycarp, in der 3-Bücher-Sammlung in MS Pistoja, in der 9-Bücher-Sammlung von MS Vat. lat. S. Pietro C 118, in der Sammlung von Vat. lat. 1361, in der Lucca-Form (Bb) der Sammlung des Anselm von Lucca, in einem Appendix zum Burchardcodex Vat. Barb. lat. 1450 und in der Collectio Caesaraugustana. Zur Überlieferung in den Kanonessammlungen cf. *Dereine* (wie Anm. 38) S. 556 und vor allem *Fuhrmann*, Papst Urban II. (wie Anm. 11) S. 21, Anm. 49 – ebenso in *Fuhrmann*, Un papa (wie Anm. 11) S. 16, Anm. 31. In dem Aufsatz ‚Das Papsttum zwischen Frömmigkeit und Politik' (wie Anm. 11) notiert *Fuhrmann*, daß in der Panormiehandschrift Trier, Stadtbibliothek 909 das Kapitel ‚Duae sunt' mit der Inskription „Gregorius septimus" enthalten sei (ursprünglicher Hinweis von *Claudia Märtl*). Zur Collectio Caesaraugustana nach wie vor grundlegend: *Paul Fournier*, La collection canonique dite ⟪Caesaraugustana⟫, in: Nouvelle revue historique de droit français et étranger 45 (1921) S. 53–79 (= *ders.*, Mélanges de droit canonique 2, ed. *Theo Kölzer*, Aalen 1983, S. 815–841). Die Caesaraugustana entstand in ihrer ersten Fassung zwischen 1110 und 1125. Nach *Fournier*, S. 62f. (= Mélanges, S. 824f.) benutzte der Kompilator dieser Sammlung Anselm von Lucca in der Rezension Bb. Das würde bedeuten, daß auch ‚Duae sunt' über Anselm Bb in die Caesaraugustana gelangt sein könnte. Jedoch sind die von Fournier beigebrachten Belege für die Benutzung von Bb bei der Komposition der Caesaraugustana nicht überzeugend; cf. *Peter Landau*, Erweiterte Fassungen der Kanonessammlung des Anselm von Lucca aus dem 12. Jahrhundert, in: Sant' Anselmo, Mantova e la lotta per le investiture (Atti del Convegno Internazionale di Studi Mantova 1986) ed. *Paolo Golinelli*, Bologna 1987, S. 323–338, hier S. 330–332.

rung der Sammlung des Anselm von Lucca (sog. Rezension Bb), die in Lucca selbst wohl im Zusammenhang mit dem Kanonikerstift in San Frediano (St. Fridian) um 1110 zusammengestellt wurde.[41] Der Text erscheint also zuerst um 1110, wird allerdings schon in der Lucca-Form des Anselm und in den Polycarp-Handschriften Papst Urban II. zugeschrieben. Dabei ist auffallend, daß das Kapitel ‚Duae sunt' von Anfang an zusammen mit dem Kapitel ‚Mandamus' verbreitet wird, welches ebenfalls zuerst in der Anselm-Erweiterung und bei Polycarp gefunden werden kann und gleichfalls von Anfang an Urban II. zugeschrieben wird.[42] Sollten vielleicht beide Texte auch in ihrer Entstehung zusammengehören?

Zunächst einmal muß allerdings die Möglichkeit erwogen werden, daß es sich bei beiden oder bei einem dieser Kapitel nicht um eine Urban zugeschriebene Fälschung der Zeit um 1110, sondern um eine echte Verlautbarung dieses Papstes handle. Da wir bei ‚Duae sunt' auf keine Überlieferung aus Urbans Zeit zurückgreifen können, bleibt nur die Möglichkeit, aufgrund innerer Kriterien zu einer Entscheidung hinsichtlich der Echtheitsfrage zu kommen. Dabei ist zuerst auffallend, daß ‚Duae sunt' durch das Prädikat ‚inquit' als mündliche Äußerung des Papstes in der dritten Person überliefert wird. Es kann sich also nicht um ein Exzerpt aus einem Papstbrief handeln, sondern es ist das Protokoll einer mündlichen Verlautbarung des Papstes, vielleicht einer Predigt.[43]

---

[41] Zur Sammlung Polycarp cf. *Horst* (wie Anm. 29) S. 6 gegen eine frühere Datierung auf ‚nach 1104' bei *Fournier*. Nach *Horst* soll der Kompilator Gregor von S. Grisogono als Archidiakon in Lucca mit der Materialsammlung begonnen haben. Zur Rezension Bb der Sammlung des Anselm von Lucca cf. *Paul Fournier*, Observations sur diverses recensions de la collection canonique d'Anselme de Lucques, in: Annales de l'Université de Grenoble 13 (1901) S. 427–458, hier S. 450–454 (= *ders.*, Mélanges de droit canonique 2, ed. *Theo Kölzer*, Aalen 1983, S. 635–666, hier S. 658–662); *Paul Fournier-Gabriel Le Bras*, Histoire des collections canoniques en occident II, Paris 1932, S. 193–95; ferner *Landau*, Erweiterte Fassungen der Kanonessammlung des Anselm von Lucca aus dem 12. Jahrhundert (wie Anm. 40).

[42] Bei Polycarp 4. 32. 82 (‚Duae sunt') und 4. 32. 83 (‚Mandamus'); in Anselm Bb auf fol. 205 v (‚Duae sunt') und unmittelbar darauffolgend ‚Mandamus' (fol. 206 r).

[43] Den Hinweis, daß es sich bei ‚Duae sunt' möglicherweise um eine Predigt handeln könne, verdanke ich *Stephan Kuttner* (1985 mündlich). *Alfons Becker*,

Der Papst könnte in einer Predigt den Gedanken entwickelt haben, daß jedermann das Recht haben müsse, aufgrund der Freiheit eines Christen im Sinne der Paulinischen Briefe in einem ‚monasterium' Erlösung zu suchen. Diese Predigt könnte Urban bei einem Aufenthalt in St.-Ruf auf dem Wege zum Konzil von Clermont 1095 gehalten haben; obwohl die von Gratian überlieferte Inskription ‚in capitulo sancti Rufi' erst in der Drei-Bücher-Sammlung belegt ist,[44] folglich nicht in den ältesten Zeugen der kanonistischen Überlieferung dieses Textes, kann man ihr Glaubwürdigkeit nicht von vornherein absprechen. Urban II. muß schon aufgrund seines Lebenswegs eine im Prinzip positive Haltung zum Klostereintritt von Weltgeistlichen gehabt haben – war er doch Kanoniker in Reims und dort wahrscheinlich zwischen 1055 und 1067 Archidiakon gewesen, bevor er zwischen 1067 und 1070 Mönch des Klosters Cluny wurde.[45] Selbst wenn man davon ausgeht, daß dem Kapitel ‚Duae sunt' ein echter Predigttext Urbans zugrundeliegen könnte, bliebe allerdings die Möglichkeit, daß dieser Text bis zur Aufnahme in eine kanonistische Sammlung erhebliche Veränderungen erfahren hätte. Aber ist es wahrscheinlich, daß Urban eine Predigt des in ‚Duae sunt' referierten Inhalts gehalten hat?

Papst Urban II. (1088–1099), Teil 2: Der Papst, die griechische Christenheit und der Kreuzzug (= Schriften der MGH 19/II) Stuttgart 1988, S. 438 nimmt an, daß ‚Duae sunt' wahrscheinlich eine Ansprache Urbans sei, die dieser im September 1095 im Kanonikerkapitel von Saint-Ruf in Avignon gehalten habe. Da der Text von ‚Duae sunt' auch den Übertritt vom Regularkanonikerstift in ein Mönchskloster freistellte, kann ich mir nicht vorstellen, daß die St.-Ruf-Kanoniker eine solche Ansprache Urbans verbreitet hätten. In der Literatur wird seit *Dereine* (wie Anm. 38, S. 548) auch erwogen, daß ‚Duae sunt' zu den Konzilskanones von Clermont gehören könne – so u. a. bei *Fuhrmann*, Un papa (wie Anm. 11) S. 17 mit Anm. 33. Die Stilisierung des Textes in der Überlieferung mit ‚inquit' spricht gegen diese Möglichkeit.

[44] Die Drei-Bücher-Sammlung überliefert ‚Duae sunt' in lib. II, tit. V ‚De episcoporum et clericorum mutatione' (MS Pistoja fol. 44 v a–b) mit ‚Mandamus' als folgendem Kapitel. Die Inskription lautet: „Dominus papa Urbanus in capitulo Sancti Rufi".

[45] Hierzu cf. vor allem *Alfons Becker*, Papst Urban II., Teil 1 (= Schriften der MGH 19/I) Stuttgart 1964, S. 31–41, besonders S. 32, Anm. 86 und S. 33, Anm. 87. Daß der spätere Urban II. – Odo von Châtillon – in verhältnismäßig jungen Jahren bereits Archidiakon in Reims gewesen sei, beruht auf einer Nachricht in den Gesta Regum Anglorum (lib. III, c. 266) des Wilhelm von Malmesbury.

Zweifellos steht ‚Duae sunt' in einem gewissen Spannungsverhältnis zu dem bereits behandelten Kapitel ‚Statuimus', denn das Prinzip des Vorrangs der ‚lex privata' hätte man natürlich auch auf die Frage des Übertritts von einem Chorherrenstift in ein Kloster anwenden können. Urban II. hat in einzelnen Privilegien wie in einer Urkunde für Schaffhausen (JL 5580) die Eintrittsfreiheit für Laien und Säkularkleriker dem Kloster als Privileg gewährt und mit folgenden Worten formuliert: „Laicos seu clericos seculares ad conversionem suscipere, nullius episcopi vel praepositi contradictio vos inhibeat".[46] Kann man aber vermuten, daß Urban darüber hinaus eine allgemeine Regel für die Freiheit des Eintritts in Klöster formulieren wollte, vielleicht auch für den Eintritt in Kanonikerkonvente, da der Ausdruck ‚monasterium' jedenfalls unter Paschalis II. auch noch für Chorherrenstifte verwandt wurde?[47] Wir müssen dies für zweifelhaft halten, da Urban z. B. in einer Urkunde für St. Sernin in Toulouse durchaus die Zustimmung des zuständigen Bischofs für den Klostereintritt des Weltgeistlichen vorsah, folglich eine unterschiedliche Privilegienpraxis anwandte.[48] Ist es ferner denkbar, daß Papst Urban in einer Predigt den Fall der Regelung des Klostereintritts als Beispiel benutzt habe, um in der Form eines rhetorischen Lehrstücks die Unterscheidung von ‚lex publica' und ‚lex privata' zu erläutern ? Ich glaube, daß die überwiegenden Gründe dafür sprechen, das Kapitel ‚Duae sunt' zumindest in der uns überlieferten Redaktion als Urbantext auszuscheiden. Die entscheidenden Gründe sind für mich die folgenden:

---

[46] JL 5580 – ed. *Johannes Dominicus Mansi*, Collectio Conciliorum XX, col. 706 (= PL 151, col. 520, no. CCLIII).

[47] Cf. unten Anm. 56.

[48] JL 5660 – ed. *Etienne Baluze*, Miscellanea II, 179 (= PL 151, col. 478–80 [no. CCV]): „Si qui sane clerici *cum episcoporum suorum licentia* conversionis gratia locum ipsum adierint, praeposito liberum sit praeter omnem episcopi Tolosani contradictionem suscipere, ut nulla eis erga praepositum suum inoboedientiae causa et superbiae relinquatur". Zu dieser Urkunde cf. auch *Charles Dereine*, Vie commune, règle de Saint Augustin et chanoines réguliers au XIe siècle, in: Revue d'histoire ecclésiastique 41 (1946) S. 365–406, hier S. 385. Auch in der Frage des Übertritts eines Regularkanonikers in ein Benediktinerkloster stellt *Fuhrmann*, Das Papsttum zwischen Frömmigkeit und Politik (wie Anm. 11) S. 170, eine ambivalente Haltung Urbans in der Urkundenpraxis fest.

1. Der Text entspricht als grundsätzliche Aussage nicht der Urkundenpraxis Urbans, der die Eintrittsfreiheit in die monastischen Gemeinschaften nur als Privileg gewährte;[49]
2. er spielt mit der Bezugnahme auf ‚lex publica' und ‚lex privata' auf elementare juristische Distinktionen an, wie sie in den Texten Urbans sonst nicht begegnen. Überhaupt ist der Begriff ‚lex privata' vor 1100 selten bezeugt.[50] Um 1100 wird der Begriff ‚lex privata' aber immerhin bei einem zeitgenössischen Autor zur Umschreibung von Klosterregeln im Gegensatz zum allgemeinen Recht verwandt, nämlich von Placidus von Nonantola in seinem ‚Liber de honore ecclesiae'. Placidus stellt die ‚privata lex' im Sinne des Privilegs als für den Einzelfall geltend der ‚communis lex' gegenüber und ordnet die ‚lex privata' übrigens der ‚communis lex' unter[51]. Ähnlich ist die Begriffsverwendung bei Ivo von Chartres in einem Brief an Erzbischof Hugo von Lyon, der im Zusammenhang der Bischofsweihe des Erzbischofs von Sens Primatialrechte in Anspruch nahm. Ivo lehnte dieses seiner Ansicht nach nicht in dem Kanon begründete Recht ab und erklärte, daß sich Hugo auf ‚*privatae leges*' und ‚novae traditiones' berufe, demgegenüber aber die Regelung in den ‚*generalia instituta*' der Kirche maßgebend sei;[52] hier wird offenbar mit dem Begriff ‚leges priva-

[49] Ein generelles Recht zur Aufnahme fremder Mönche und Regularkanoniker wurde von Urban II. dem Kloster Cluny gewährt, cf. JL 5676 (PL 151, col. 485–488, hier col. 487). Ein ähnliches Privileg wie für Schaffhausen verlieh Urban 1095 dem Kloster Saint-Gilles bei Nîmes: JL 5577 – ed. Gallia Christiana VI, Instrumenta XVIII, S. 184 (= PL 151, col. 425–426): „A coniugiis etiam liberos ad monachatum admitti sine episcoporum contradictione concedimus".

[50] Cf. oben Anm. 14. Bei *Müllejans* (wie Anm. 13) wird das Vorkommen bei Isidor von Sevilla verzeichnet.

[51] *Placidus von Nonantola*, Liber de honore ecclesiae, c. 95, abgedruckt bei: Placidi Monachii Liber de honore ecclesiae, *ed. Lotharius de Heinemann, Ernestus Sackur*, in: Libelli de lite imperatorum et pontificum saeculis XI. et XII. conscripti, (= MGH, LdL 2) Hannoverae 1892, Nd 1956, S. 566–639, hier S. 616: „De eo quia privata lex communem legem facere non potest". Zu Placidus von Nonantola cf. jüngst *Jörg W. Busch*, Der Liber de Honore Ecclesiae des Placidus von Nonantola. Eine kanonistische Problemerörterung aus dem Jahre 1111. Die Arbeitsweise ihres Autors und seine Vorlagen (= Quellen und Forschungen zum Recht im Mittelalter, hrsg. von *Raymund Kottje* und *Hubert Mordek*, Bd. 5) Sigmaringen 1990.

[52] Ivo von Chartres, Ep. 60 (PL 162, col. 72): „Cum ergo tam ita alia generalia

tae' eine unbegründete partikuläre Rechtsanmaßung umschrieben. Auch hier sind jeweils wohl Isidors Ethymologien der Ausgangspunkt für die Terminologie;

3. an dritter Stelle spricht aber auch der Überlieferungsbefund gegen die Echtheit von ‚Duae sunt'. Der Text ist ursprünglich nur im Gebiet von Mittelitalien nach 1100 bekannt und taucht dort in mehreren kanonistischen Sammlungen auf. Später wird er in die südfranzösische Collectio Caesaraugustana übernommen, aber offenbar als Entlehnung aus Polycarp oder dem erweiterten Anselm von Lucca. Schließlich gelangt der Text vereinzelt auch in eine um 1130 angelegte kanonistische Handschrift des Dekrets des Ivo von Chartres in Christ Church in Canterbury.[53] Überall ist ‚Duae sunt' unmittelbar verbunden mit dem auch bei Gratian aufgenommenen Kapitel ‚Mandamus', das wie ‚Duae sunt' eine *generelle* Anordnung enthält, aber nicht wie ‚Duae sunt' eine generelle Gewährung der individuellen Lebensform, sondern ein generelles Verbot des Übertritts vom Kanonikerstift in einen Mönchskonvent. Gegen die Zuweisung von ‚Mandamus' an Urban II. sind immer wieder Bedenken erhoben worden, zuletzt von *Horst Fuhrmann.*[54] Daß es sich bei ‚Mandamus' um eine Fälschung aus dem Milieu der Regularkanoniker handeln müsse, da in diesem Kapitel die Mönchskutte geradezu zur negativen Stigmatisierung verwandt wird, hat er überzeugend nachgewiesen. Kann nicht auch ‚Duae sunt' in demselben Milieu entstanden sein, wenn es stets

---

instituta tam absolute consecrationem metropolitani contineant, miramur cur privatis legibus et novis traditionibus veteres traditiones et consuetudines removere contenditis, praecipiendo ut Senonensis electus ante consecrationem suam vobis praesentetur, et iure primatus vestri subiectionem et oboedientiam profiteatur". Neue Edition des Textes mit Übersetzung: Yves de Chartres, Correspondance, Bd. I, ed. par *Jean Leclercq*, Paris 1949, S. 244. Der Brief stammt aus dem Jahre 1097.

[53] Zur Einfügung von JL 5760 in die Ivo-Handschrift von Cambridge cf. *Dereine* (wie Anm. 38) S. 565. Auch dort erscheint ‚Duae sunt' in der Nachbarschaft von ‚Mandamus' und von dem Privileg Paschalis' II. für S. Frediano in Lucca (JL 6492) wie in MS Vat.lat. Barb. 535 (Rezension Bb des Anselm von Lucca). Zu der Handschrift Corpus Christi College Cambridge 19 cf. auch *Peter Landau*, Das Dekret des Ivo von Chartres, in: ZRG Kan.Abt. 70 (1984) S. 1–44, hier S. 9f.

[54] *Fuhrmann*, Papst Urban II. (wie Anm. 11) S. 20; ebenso *ders.*, Un papa (wie Anm. 11) S. 14 und *ders.*, Das Papsttum (wie Anm. 11) S. 167.

mit ,Mandamus' überliefert wird? Wir hätten dann zwei korrespondierende Fälschungen, von denen die eine ein Grundrecht zur Wahl der höheren Lebensform einräumt, die zweite aber die Anwendung des Grundrechts auf das Verhältnis von Regularkanonikern zu Mönchen sofort ausschließt. Einer solchen Interpretation steht im Wege, daß der Text von ,Duae sunt' in seiner ursprünglichen Form nur den Eintritt in ein ,monasterium' behandelt, worunter man eventuell nur das Mönchskloster zu verstehen hätte, so daß es ausgeschlossen wäre, daß diese Fälschung in Kreisen von Regularkanonikern entstand. So meint auch *Fuhrmann*, daß der Passus ,in aliquo monasterio' nur den Übertritt in ein Mönchskloster im Auge haben könne.[55] Die Papsturkunden der Zeit Paschalis' II. verwenden jedoch ,monasterium' auch im Sinne von Chorherrenstift, so in einer Urkunde des Papstes für St. Ruf 1114 (JL 6369).[56] Vom Sprachgebrauch her bestand um 1110 kein zwingender Grund, hinter das Wort ,monasterio' noch das klarstellende ,vel regulari canonica' einzufügen, wie es bei Gratian und schon vor ihm in einer anderen kanonistischen Sammlung (MS Vat. 1361) geschah.[57] Nimmt man alle Überlegungen zusammen, so ergibt sich schließlich sogar die Möglichkeit, daß sowohl ,Duae sunt' als auch ,Mandamus' in Lucca um 1110 im Umkreis von St. Fridian entstanden sind; denn in der diesem Kanonikerzentrum zuzuordnenden Fassung des Anselm von Lucca tauchen sie zeitlich wohl zuerst auf und zwar in unmittelbarer Nachbarschaft einer echten Urkunde Paschalis' II. für St. Fridian.[58] Jedenfalls ergibt die

---

[55] *Fuhrmann*, Papst Urban II. (wie Anm. 11) S. 21, Anm. 49; ebenso *ders.*, Un papa (wie Anm. 11) S. 16, Anm. 31.

[56] JL 6369, ed. Gallia Christiana, XVI, Instrumenta S. 102 (= PL 163, col. 336f., no. CCCLXXV): „ut quaecumque bona, quascumque possessiones ad id B. Rufi *monasterium* legitimis fidelium traditionibus, vel aliis justis modis pertinere videntur."

[57] In der in 13 Bücher aufgeteilten Sammlung von Vat. lat. 1361 ist JL 5760 in lib. IV, c. 50; – c. 48 = ,Statuimus' (JL 5763), c. 51 = ,Mandamus'. Zu dem Zusatz ,vel canonica regulari' cf. oben Anm. 11. Inskription und Rubrik lauten in Vat. lat. 1361: „Urbanus II. de libertate clericorum vitam suam meliorare volentium quod ab episcopis prohiberi non potest".

[58] Cf. oben Anm. 41. JL 6492 für S. Fridian (Frediano) folgt auf fol. 206r – v unmittelbar nach ,Duae sunt' und ,Mandamus'. Zu S. Frediano um 1100 cf. *Martino Giusti*, Le canoniche della città e diocesi di Lucca al tempo della Riforma

Überlieferungslage nichts dafür, daß Urban II. jemals die Freiheit zum Klostereintritt als päpstliche Rechtsnorm, als ein *Rechtsprinzip*, aufgefaßt habe – vielleicht hat er in Erinnnerung an seinen eigenen Lebensweg den Respekt vor der Gewissensfreiheit beim Übergang eines Weltgeistlichen zur monastischen Lebensform mündlich hervorgehoben, so daß sich dadurch eine Tradition bildete, an die der unbekannte Autor von ‚Duae sunt' anknüpfen konnte.

Ich breche hier die Erörterung der Frage des Ursprungs von ‚Duae sunt' und ‚Mandamus' ab – beide Texte sind jedenfalls erst ab etwa 1110 nachweisbar.

Es bleibt noch die Frage nach der Provenienz dieser Texte bei Gratian. Von vornherein ist es wahrscheinlich, daß der Magister sie derselben Quelle entnommen hat, da beide Stücke regelmäßig zusammen überliefert werden. Für die Provenienzbestimmung könnte die Inskription Gratians bei ‚Duae sunt' – nämlich ‚in capitulo Sancti Rufi' – bedeutsam sein. Eine solche Inskription trägt das Kapitel zuerst in der Drei-Bücher-Sammlung, die sicher eine von Gratian benutzte Quelle war. Wie der Kompilator der Drei-Bücher-Sammlung zu seiner Inskription gekommen ist, kann nur vermutet werden. Er benutzte vielleicht eine Quelle, in der auch das Kapitel ‚Statuimus' mit der Adresse ‚Abbati Sancti Rufi' stand und übertrug dies modifiziert auf ‚Duae sunt', da er die Thematik beider Texte als verwandt empfand und das Kapitel ‚Statuimus' selbst nicht aufnehmen wollte, vermutlich, weil ihm die grundsätzlichen Aussagen in ‚Duae sunt' und ‚Mandamus' genügten. Da aber der Kompilator der Drei-Bücher-Sammlung sich bewußt war, daß ‚Duae sunt' als Rede Urbans stilisiert war, mußte die Inskription auch ‚in capitulo S. Rufi' lauten. Die Form der Inskription bei Gratian kann also keineswegs als ein Argument für die Authentizität der Rede Urbans II. gelten, da offenbar bei Formulierung der Inskription ‚in capitulo' die Überlieferung des Urban-Textes in Gestalt einer Rede bereits gegeben war. Die Drei-Bücher-Sammlung könnte also Gratians unmittelbare

---

Gregoriana, in: Studi Gregoriani 3 (1948) S. 321–367, hier S. 345–348 und *ders.*, Notizie sulle canoniche lucchesi, in: La vita comune del clero nei secoli XI e XII, (= Miscellanea del centro di studi medioevali III) Milano 1962 S. 434–454, hier S. 447f.

Quelle gewesen sein. Allerdings fehlt in ihr der Passus ‚vel regulari canonica', so daß eine sichere Entscheidung nicht möglich ist.

Unter den bisher nach Ursprung und Provenienz bei Gratian geprüften Texten befinden sich also wahrscheinlich zwei Fälschungen. Ehe ich der Frage der Auswirkung von ‚Duae sunt' im Recht nach Gratian noch einige Ausführungen widme, möchte ich aber noch kurz auf Ursprung und Provenienz des Konzilskanons ‚Concilio Educensi congregato sub VII. Gregorio' eingehen, der ähnlich ‚Mandamus' den Übertritt des Regularkanonikers in einen Mönchsorden generell verbietet und dafür sogar Tätern und Anstiftern die Exkommunikation androht.[59] Hat wirklich bereits unter Gregor VII. sich ein Konzil von Autun so massiv für die Regularkanonikerinteressen eingesetzt, so daß Urbans II. Privileg ‚Statuimus' für St. Ruf, das ja ähnlich lautend auch für andere Stifte überliefert ist, geradezu die Durchbrechung einer rigorosen Konzilsnorm bedeutet hätte?

Auch beim Konzil von Autun hilft ein Blick in die kanonistische Überlieferung vor Gratian. Die Forschung hat hier bisher nur Verwirrendes zu Tage gefördert. Bereits *Etienne Baluze* sah im 17. Jahrhundert bei diesem gratianischen Text erhebliche Probleme, widmete ihm eine kurze Nota in seiner Ausgabe der Gratian-Dialoge des Antonio Agustin und versprach zu dem Konzilskanon ‚Nullus abbas' eine Spezialabhandlung, zu der er offenbar nicht gekommen ist.[60] *Carl Josef Hefele* nahm 1863 in seiner ‚Conciliengeschichte' an, daß der Kanon von Autun in Wahrheit von dem unter Urban II. veranstalteten Konzil von Autun stamme,[61] während *Henri Leclercq* in einer Anmerkung den Konzilskanon dann wieder der Versammlung von

[59] Zum speziellen Problem des *Übertritts* von Regularkanonikern in ein Mönchskloster hauptsächlich für die Epoche nach Gratian grundlegend: *Gert Melville*, Zur Abgrenzung zwischen Vita canonica und Vita monastica. Das Übertrittsproblem in kanonistischer Behandlung von Gratian bis Hostiensis, in: Secundum Regulam Vivere. Festschrift für *Norbert Backmund*, hrsg. von *Gert Melville*, Windberg 1978, S. 205–243.

[60] Cf. *Etienne Baluze*, Notae ad Antonium Augustinum, De emendatione Gratiani dialogorum libri duo, ed. Parisiis 1672, S. 528: „Ceterum nos alibi, Deo dante, plura dicemus de hoc Eduensis Concilio."

[61] *Carl Josef Hefele*, Conciliengeschichte, Bd. V, Freiburg i. Br. 1863, S. 193: „Von den Canonen der Autuner Versammlung – sc. 1094 – ist aber nur noch ein einziger vorhanden, der den Mönchen verbietet, die Canoniker zum Eintritt in ein Kloster zu bereden".

1077 zuordnete, ohne aber in seiner französischen Neubearbeitung von Hefeles Werk den Haupttext Hefeles entsprechend zu ändern, so daß die Standardkonziliengeschichte unseren Kanon nun gleich zwei Konzilien von Autun zuschreibt.[62] *Charles Dereine*, der bedeutende Forscher auf dem Gebiet der Kanonikerreform, entscheidet sich in einem Artikel von 1951 für das Konzil von 1094[63] und in einem Lexikonartikel von 1953 für das Konzil von 1077.[64] Was läßt sich der kanonistischen Überlieferung entnehmen?

Anders als die bisher behandelten Kapitel taucht der Konzilskanon von Autun in der italienischen kanonistischen Überlieferung nur vereinzelt auf (Rezension A' des Anselm von Lucca und Zusätze zu der um 1125 entstandenen 9-Bücher-Sammlung).[65] Zum erstenmal be-

---

[62] *Carl Josef Hefele/Henri Leclercq*, Histoire des Conciles V/1, Paris 1912, S. 220, Anm. 1: Der Kanon stamme vom Konzil von 1077 – S. 388: unveränderte Wiederholung des Textes von Hefele, also 1094.

[63] *Dereine* (wie Anm. 38) S. 553 entscheidet sich für 1094, da die Auseinandersetzungen zwischen Mönchen und Regularkanonikern und das Eingreifen der römischen Kurie vor allem für die Zeit Urbans II. belegt seien. Auch *Michele Maccarrone*, I papi del secolo XII e la vita comune e regolare del clero, in: La vita comune del clero nei secoli XI e XII (wie Anm. 58) S. 349–398, hier S. 360, schreibt den Kanon dem Konzil von Autun 1094 zu. Die Zuordnung des Konzilskanons von Autun zu der Versammlung von 1094 geht bereits auf *Mansi* zurück – cf. *Johannes Dominicus Mansi*, Sacrorum Conciliorum Collectio XX, col. 799–802. Mansi beruft sich seinerseits für diese Datierung, die von der bei Gratian – ‚congregato sub VII.Gregorio' – abweicht, auf ein Zitat des Konzilskanons in einem Brief *Stephans von Tournai* an Abt Robert von Pontigny. Dabei handelt es sich offenbar um ep. 71 (PL 211, col. 361–370). Hier zitiert Stephan zunächst das Konzil von Autun (C.19, q. 3, c. 1) und anschließend ‚Mandamus' (C. 19, q. 3, c. 2). Seine Zitatenreihe leitet er mit folgendem Satz ein: „Nam et Eduense concilium et idem Urbanus papa, cujus supra mentio facta est, id affirmare videntur" (PL 211, col. 367). Die Erwähnung Urbans bei Stephan bezieht sich folglich auf ‚Mandamus' und demnach beruht *Mansis* Datierung 1094 auf flüchtiger Lektüre. Die Forschung ist *Mansis* Lesefehler weitgehend gefolgt.

[64] *Dereine*, (wie Anm. 3) hier col. 396. Dem Konzil von 1077 wird der Kanon auch zugeschrieben bei *J. C. Dickinson*, The Origin of the Austin Canons and their introduction into England (London 1950) S. 211; ähnlich *Picasso* (wie Anm. 5) S. 149.

[65] In der Rezension A' der Sammlung des Anselm von Lucca hat der Kanon folgende Rubrik: „Ex concilio Eduensi sub Gregorio papa VII congregato" – übereinstimmend mit Gratian. In der Neun-Bücher-Sammlung von MS Vat. San Pietro C 118 ist der Kanon ein Zusatz zu lib. II, tit. 5, c. 41 (fol. 23 rb–va). Die Sammlung Anselm Bb (Lucca-Rezension) bringt am Ende von Buch VII einen

gegnet er jedoch in der kanonistischen Tradition in der Sammlung der Handschrift Turin D. IV.33 bereits kurz vor 1100, einer Collectio, die weit entfernt vom gegenwärtigen Aufbewahrungsort der Handschrift in *Poitiers* entstanden ist.[66] In Poitiers gab es am Ende des 11. Jahrhunderts eine rege kanonistische Sammeltätigkeit und auch starke Einflüsse der Kanonikerreform.[67] Dort kann man also gut Interesse an einer die Kanonikergemeinschaften sichernden Norm voraussetzen und zugleich ist hier die Einführung des Textes eines gallischen oder französischen Konzils auch sehr naheliegend. Die Verbindung des Kanons „Ut nullus abbas“ mit *Poitiers* ist auch noch aus einem anderen überlieferungsgeschichtlichen Grunde naheliegend. In einer vor kurzem von *Gérard Fransen* bekanntgemachten Handschrift der Provinzialbibliothek von Tarragona findet sich der Kanon in einer Kanonessammlung, die als Anhang zu einer Kurzform des Dekrets Burchards von Worms aufgenommen wurde[68].

ähnlichen angeblichen Kanon des Konzils von Autun mit folgendem Wortlaut (fol. 206 v): „Ex concilio Eduensi cui prefuit Hugodensis [!] Episcopus romane ecclesie legatus. Clerici communem et canonicam vitam professi in nullo monasterio cucullis induantur, vel in aliis ecclesiis recipiantur, quamdiu vigor canonicus in suis locis perstiterit, nisi petantur et concedantur a prelatis vel ad regimen animarum vel ad institutionem regularium disciplinarum. Quod si aliter presumptum ad ecclesias suas omnimodis revocentur. Non enim canonicus ordo monastico ordine in aliquo inferior perhibetur.“ Auf diesen Kanon von Autun, der im Wortlaut erheblich von C. 19, q. 3, c. 1 abweicht, wurde zuerst von *Etienne Baluze* hingewiesen (wie Anm. 60); nochmaliger Hinweis bei *Paul Viollet*, Rez. von: Hefele, Conciliengeschichte, in: Revue historique 1 (1876) S. 588–604, hier S. 595f. *Baluze* hielt die Fassung des Kanons bei Gratian für eine verkürzende Redaktion des in Anselm Bb wiedergegebenen Originaltextes. Wie bei dem rezipierten Konzilskanon dürfte es sich auch hier um eine Fälschung handeln. Zur Rezension A' des Anselm von Lucca cf. *Landau*, Erweiterte Fassungen (wie Anm. 40) S. 328f.

[66] Zur Sammlung von Turin in 7 Büchern cf. *Fournier/Le Bras* II (wie Anm. 41) S. 163–167 und vor allem *Roger Reynolds*, The Turin Collection in Seven Books: A Poitevin Canonical Collection, in: Traditio 25 (1969) S. 508–514. Reynolds nimmt an, daß diese Sammlung in der Region von Poitiers entstanden sein müsse. Der Kanon erscheint hier in lib. IV als c. 245 auf fol. 67r.

[67] Den Regularkanonikern von St. Sernin in Toulouse wurde 1076 das Kloster St. Cyprien in Poitiers übergeben; cf. *Dereine* (wie Anm. 38) S. 538, Anm. 3.

[68] Zu dieser Sammlung cf. *Gérard Fransen*, Textes grégoriens dans un manuscrit espagnol, in: ZRG Kan. Abt. 75 (1989) S. 58–69. Es handelt sich um eine Sammlung in 51 Kapiteln (bei *Fransen* Nr. 2).

Der Kanon erscheint hier nach einigen Kanones des Konzils von Poitiers 1078 und zwar mit der merkwürdigen Inskription: „Item eiusdem in decretis Eduensis concilii".[69] Das ‚eiusdem' bezieht sich offenbar auf Gregor VII., von dem innerhalb der Sammlung vor den Kanones des Konzils von Poitiers einige Texte gebracht werden; die Kanones von Poitiers werden in der Sammlung mit der analogen Inskription: „Item eiusdem in decretis Pictaviensis concilii" eingeleitet[70]. Die Tarragona-Handschrift stammt aus dem Zisterzienserkloster Santes Creus und könnte dorthin aus Frankreich gelangt sein; Fransen datiert sie auf etwa 1125[71].

Aber war es nun das Konzil Gregors VII., dasjenige Urbans II. oder besteht gar eine dritte Möglichkeit? Weder von der Versammlung von 1077 noch von der von 1094 haben wir sonstige Kanones erhalten; beide standen unter dem Vorsitz päpstlicher Legaten (1077 Bischof Hugo von Die, 1094 Erzbischof Hugo von Lyon). Die Überlieferung zu dem Konzil von 1077 erwähnt keine legislative Tätigkeit. Anders verhält es sich mit der Versammlung von 1094, die in der Chronik des Bernold von Konstanz erwähnt wird. Nach Bernold hat das Konzil von 1094 Vorschriften gegen Simonie und gegen die Seelsorgetätigkeit von Mönchen erlassen[72]; von einem Verbot für Regularkanoniker, in ein Mönchskloster überzutreten, weiß auch Bernold nicht zu berichten. In der Handschrift Turin D. IV.33 erscheint der Konzilskanon mit der Inskription ‚Ex concilio Eduensi' ohne sonstige Hinweise auf eine spezielle Versammlung.[73] Überdies

---

[69] Cf. *Fransen*, (wie Anm. 68) S. 63 (no. 25).

[70] Cf. *Fransen*, (wie Anm. 68) S. 63 (no. 22).

[71] Cf. *Fransen*, (wie Anm. 68) S. 59.

[72] Bernoldi Cronica ao. 1094, Oct. 16 (Annales et Chronica aevi Salici, ed. *Georgius Heinricus Pertz, Ludovicus Bethmann, Georgius Waitz, Ludovicus Fridericus Hesse*, [= MGH, SS, 5] Hannoverae 1844, Nd 1985, S. 461, Z. 11–13): „Item simoniaca heresis et incontinentia sacerdotum sub excommunicatione damnata est; item monachis interdictum est in eodem concilio, ne parroechialium sacerdotum officia in parroechiis usurpent."

[73] Der Text des Kanons lautet in MS Turin D. IV.33 (fol. 67r): „Ex concilio Eduensi. Ut nullus abbas vel monachus canonicos regulares a proposito professionis canonice revocare et ad monachicum habitum trahendo suscipere ut monachi fiant, presumat, quamdiu ordinis sui ecclesiam invenire quiverint in qua canonice vivendo deo servire et animam suam salvare possint."

In der Capitulatio (fol. 9v) erhält der Kanon folgende Rubrik: „Ut canonici regulares monachi non fiant."

fehlt in der Turiner Handschrift noch der letzte Satz des Kanons, nämlich die Exkommunikationssanktion. Überlegt man nun, ob der Inhalt dieses Konzilskanons eher in die Zeit von 1077 oder von 1094 paßt, so haben wir für Gregor VII. keine Zeugnisse, die erkennen ließen, daß die Frage der Sicherung der Kanonikergemeinschaften gegenüber der Konkurrenz der Klöster bereits besonders aktuell gewesen sei; der Papst selbst, der sich im Dictatus Papae das Recht zuschrieb, ‚de canonica abbatiam facere et contra‘,[74] sah – anders als später Urban II. – im Schutz der neuen Kanonikergemeinschaften offenbar noch keine dringliche Aufgabe. Insofern ist eine Zuordnung des Kanons zu Gregor VII. zweifelhaft, obwohl sie bereits vor Gratian in erweiterten Fassungen der Sammlung Anselms von Lucca und in der Sammlung von Tarragona vorgenommen wird. Aber auch die Zuweisung des Kanons an die Versammlung von 1094 begegnet Bedenken; denn erstens wissen wir auch hier nichts von legislativer Tätigkeit des Konzils in bezug auf Regularkanoniker, obwohl ein Bericht des Bernold von Konstanz über die Aktivität des Konzils vorliegt, und zweitens ist es schwer vorstellbar, daß dieses unter Urbans Einfluß stehende Konzil das Problem anders als in der Form eines Verbots mit Erlaubnisvorbehalt im Sinne von Urbans Mandat ‚Statuimus‘ für St. Ruf gelöst hätte[75].

Es bleibt aber noch eine dritte Möglichkeit zu erwägen. Könnte nicht der singuläre Kanon von Autun eine Fälschung sein, die sich an einen echten Text aus früherer Zeit anlehnte? Bereits um 670 hatte es

---

[74] Dictatus Papae c. VII – cf. Das Register Gregor VII., Bd. 1: Buch 1–4, ed. *Erich Caspar* (= MGH, Ep. sel. 2/1) Berlin 1955², Nr. II, 55a, S. 201–208, hier S. 203, Z. 8f. Cf. hierzu *Dereine* (wie Anm. 38) S. 543f., der mit Recht eine Untersuchung vermißt, inwieweit sich dieser Grundsatz in der Praxis ausgewirkt habe.

[75] Auch in einem von Urban II. für St.-Ruf am 19. 9. 1095 ausgestellten Privileg (JL 5579) verwendet der Papst das Modell des Verbots mit Erlaubnisvorbehalt – cf. die Edition bei *Migne*, PL 151, col. 428 (no. CLIII): „Statuimus enim ut nemini inter vos professione exhibita proprium quid habere, nec sine tua, fili Arberte abba, et eorum qui post te in eodem regimine successerint, aut sine communi congregationis licentia de claustro discedere liberum sit“. Die Formulierung in dieser Urkunde weicht demnach signifikant von dem Autun-Kanon in der Vulgatfassung ab – die Fassung in Anselm Bb (wie Anm. 65) entspricht eher der Urkundenpraxis Urbans. *Maccarrone* (wie Anm. 63) S. 360, Anm. 22, nimmt eine Übereinstimmung zwischen dem Konzilskanon und dieser Urkunde an.

in Autun in der Zeit des heiligen Leodegar ein Konzil gegeben, das sich hauptsächlich mit Regelungen im Bereich des Mönchtums befaßt hatte.[76] Diese Versammlung um 670 hat unter anderem folgenden Kanon formuliert: „Statuimus adque decernimus, ut nullus monachum alterius absque permissu sui abbatis praesumat retinere; sed cum inventus fuerit vagans ad cellam propriam revocetur; ibi iuxta culpae meritum coercendus est".[77] Die zitierte Vorschrift behandelt das Entweichen eines Mönchs aus einem Kloster, will also die ‚stabilitas' der Mönche sichern; und man konnte im 11. Jahrhundert durchaus auf die Idee kommen, etwas ähnliches für die Regularkanoniker zu formulieren und dem alten Konzil von Autun zuzuschreiben. Nun war aber gerade dieses Konzil von Autun des 7. Jahrhunderts mit seinen Kanones insgesamt nur ganz selten in den Kanonessammlungen überliefert.[78] Doch wurden seine Kanones in der dem 8. Jahrhundert angehörenden systematischen *Collectio Herovalliana* aufgeführt, die ihrerseits in der zweiten Hälfte des 11. Jahrhunderts in Saint-Hilaire-le-Grand in Poitiers abgeschrieben und schließlich auch gerade von dem Kompilator der Turiner Sammlung benutzt wurde, wie *Hubert Mordek* nachgewiesen hat.[79] Der Entstehungsprozeß des singulären Konzilskanons ‚Nullus abbas' des sog. Konzils von Autun könnte also folgendermaßen verlaufen sein: Der Text wurde vor

---

[76] Zum Konzil von Autun um 670 cf. *Hefele-Leclercq* (wie Anm. 62) Bd. III/1, Paris 1909, S. 307–309 mit Anm. 2.

[77] Abdruck in: Concilia Aevi Merovingici, ed. *Fridericus Maassen* (= MGH, Leg. Sect. III, Conc. 1), Hannoverae 1893, S. 220f., hier S. 221, Z. 13–15.

[78] Cf. *Friedrich Maassen*, Geschichte der Quellen und der Literatur des canonischen Rechts im Abendlande bis zum Ausgange des Mittelalters, Bd. I, Gratz 1870, Nd 1956, S. 213. Die Überlieferung der Kanones dieses Konzils erfolgte ausschließlich über die Collectio Vetus Gallica (bei *Maassen* Sammlung der Handschrift von Angers) und die Collectio Herovalliana.

[79] Zur Collectio Herovalliana cf. *Maassen* (wie Anm. 78) S. 828–33. Zur Überlieferung dieser Sammlung und ihrem Einfluß grundlegend *Hubert Mordek*, Kirchenrecht und Reform im Frankenreich, (= Beiträge zur Geschichte und Quellenkunde des Mittelalters, Bd. 1) Berlin/New York 1975, S. 109–143; hier zur Handschrift aus Saint-Hilaire-le-Grand (MS Poitiers Bibl. Mun. 6 [121] saec. XI^{2}) S. 112 mit Anm. 67; zum Einfluß der Herovalliana auf die Sammlung von Turin S. 137, Anm. 183. Zusammenfassend bereits vorher zur Herovalliana *Hubert Mordek*, Die historische Wirkung der Collectio Herovalliana, in: ZKG 81 (1970) S. 220–243. Die Herovalliana enthält den zitierten Kanon von Autun in cap. LI – cf. die Teiledition in PL 99, col. 1053.

1100 in Poitiers fabriziert und später in der kanonistischen Überlieferung noch durch unterschiedliche Strafsanktionen erweitert. Auch die Überlieferung in der oben erwähnten Handschrift aus Tarragona ergibt eine Spur, die nach Poitiers führt[80]. In Poitiers kannte man die alte Collectio Herovalliana, die unter der Inskription eines Konzils von Autun diverse Vorschriften zur Regelung des Mönchtums enthielt. Dieser Umstand kann dazu geführt haben, daß man das neue Produkt eines Rechtssatzes zur Absicherung der Kanonikerkonvente mit der Herkunftsbestimmung ‚Konzil von Autun' versah. Aus Poitiers wanderte der Text nach Italien und Spanien. In Italien erscheint er nach 1100 vor allem in Zusätzen zur Sammlung des Anselm von Lucca, bevor er dann durch das gratianische Dekret, in das der Kanon wohl über eine erweiterte Form des Anselm von Lucca gelangte, europäische Verbreitung fand und dann vor allem im polemischen Schrifttum der Regularkanoniker gegen die Mönchsorden als starke Waffe dankbar benutzt wurde.[81]

Damit sind wir am Ende dieses Abschnitts angelangt, einer Skizzierung des Ursprungs der gratianischen Kanones und ihres Wegs zu Gratian. Gratian löst die durch die Konkurrenz von Regularkanonikern und Mönchen entstandenen Probleme teils mit Texten altkirchlichen und frühmittelalterlichen, teils mit solchen neuen Rechts. Dabei befindet sich unter den vier Texten des ‚ius novum' nur ein einziger, der zweifelsfrei authentisch ist. Die drei weiteren Texte, die für Gratian von prinzipieller Bedeutung sind und auch um die Mitte

---

[80] Cf. oben Anm. 68. *Fransen*, S. 59 spricht von „textes réformateurs (poitevins?)".

[81] Zum Vorkommen des Kanons im polemischen Schrifttum zwischen Mönchen und Regularkanonikern cf. *Dereine* (wie Anm. 38) S. 560f. Der Kanon wird rezipiert bei *Anselm von Havelberg* in dessen „Epistola apologetica pro canonicis regularibus" (PL 188, col. 1124: „item ex Eduensi concilio"), bei *Arno von Reichersberg* im „Scutum canonicorum" (PL 194, col. 1517: „similiter Educense concilium nihilominus romae sedis auctoritate subnixum") und im „Dialogus inter cluniacensem et cisterciensem", ed. bei *Edmond Martène-Ursin Durand*, Thesaurus novus anecdotorum, vol. V, Lutetiae Parisiorum 1717, Nd New York 1968, col. 1620: „. . . videtur in hoc convenire magistro Hugoni et duobus Romanis pontificibus Gregorio VII et Urbano II et quibusdam episcopis in Eduensi concilio congregatis. Hi enim omnes putabant eos non esse monachos, sed debere dici regulares canonicos". Zur Verbreitung des Konzilskanons von Autun in der Traktatliteratur cf. auch *Dickinson* (wie Anm. 64) S. 212.

des 12. Jahrhunderts viel zitiert wurden, sind vermutlich sämtlich Fälschungen, die kurz vor oder nach 1100 entstanden. Neue Probleme, auf die die Sammlungen als Magazine alten Rechts keine Antwort gaben, bei denen aber generelle Lösungen gefunden werden mußten, man also nur schwer mit einer Privilegienpraxis arbeiten konnte, werden zum Teil über fiktive Rechtstexte gelöst, bevor sich im 12. Jahrhundert mit häufiger konziliarer Reformgesetzgebung und dem routinemäßigen Erlaß von Dekretalen so etwas wie eine Rechtserzeugungsmaschinerie für das ‚ius novum' ausbildet.[82]

III. Die Verwendung von ‚Duae leges' in der Dekretistik

Wenn man die Frage der Auslegung von ‚Duae sunt leges' in der auf Gratian folgenden Dekretistik untersucht, so fällt das Ergebnis auf den ersten Blick relativ negativ aus. *Rudolf Weigand* ist bei seiner Darstellung der Naturrechtslehre der Dekretisten zu dem Ergebnis gekommen, daß sie den Text mit der ‚lex privata' weitgehend eingeschränkt hätten.[83] Dies ist sicher insofern richtig, als aus ‚Duae sunt leges' niemals eine den institutionellen Rahmen sprengende Naturrechtstheorie entwickelt wurde. Jedoch bedeutet dies nicht, daß das Kapitel ‚Duae sunt leges' keine praktische Bedeutung gehabt hätte. Zwar steht zunächst in der Interpretation der Causa XIX durch die Dekretisten das Verbot des Übertritts von Regularkanonikern in ein Mönchskloster im Mittelpunkt des Interesses, so z. B. in der wohl ältesten Summe zum gratianischen Dekret durch den Gratianschüler *Paucapalea*, der zu C. 19 bemerkt:

---

[82] Cf. *Peter Landau*, Gefälschtes Recht in den Rechtssammlungen bis Gratian, in: Fälschungen im Mittelalter. Internationaler Kongreß der Monumenta Germaniae Historica München 1986, Teil II, (= Schriften der MGH Bd. 33/2) Hannover 1988, S. 1–49, hier S. 46–49.

[83] Cf. *Weigand* (wie Anm. 17) S. 175f., S. 199, S. 205f., S. 245f. Zur Verwendung der Distinktion 'lex publica – lex privata' in der Kanonistik des 12. Jahrhunderts cf. auch *Stephan Kuttner*, A Forgotten Definition of Justice, in: Studia Gratiana XX (= Mélanges G. Fransen II) S. 75–109 (= *ders.*, The History of Ideas and Doctrines of Canon Law in the Middle Ages, London 1980, no. V) hier S. 86, Anm. 44.

„Canonicos autem regulares ad monasterium transire auctoritate Urbani papae et Educentis concilii prohibetur; nisi cum patris sui licentia religionis propositum induerit."[84]

Jedoch zeigt sich die Bedeutung von ‚Duae sunt leges' für die Dekretisten in folgender Hinsicht: Es wird schon in der frühen Bologneser Dekretistik bei *Rolandus*[85] und in der Summa des *Rufinus* festgehalten, daß entsprechend ‚Duae sunt leges' der Eintritt in ein Kloster auch bei Widerspruch des Bischofs frei möglich sein müsse; so bemerkt Rufinus zu C. 19, q. 2, c. 2: „Certum est, quod invito episcopo clericum nemo debet suscipere, nisi clericus voluerit transire ad frugem melioris vite; tunc enim etiam contradicente episcopo ire potest, sicut in secundo capitulo habetur."[86]

Doch setzt die Möglichkeit, sich auf eine ‚lex privata' zu berufen, nicht etwa nach Meinung der frühen Bologneser Schule das spezifische Verbot, z. B. für den Übertritt von Regularkanonikern, außer Kraft; auch gilt die Freiheit des Klostereintritts nach Meinung des Rufinus nicht für den Bischof, der vielmehr einer Erlaubnis des Papstes bedürfe, wobei die Begründung dieser Ausnahme nur mit einem Dictum Gratians erfolgt (Dict. p. C. 7, q. 1, c. 48), der allgemein von der Pflicht des Hirten spricht, bei den Untergebenen auszuharren, ohne daß es bei Gratian zur Frage des Klostereintritts eines Bischofs

---

[84] *Paucapalea*, Summa über das Decretum Gratiani, ed. *Johann Friedrich von Schulte*, Gießen 1890, Nd Aalen 1965, ad C. 19, q. 3 (S. 94). Cf. hierzu auch *Melville* (wie Anm. 59) S. 217.

[85] Die Summa Magistri *Rolandi*, ed. *Friedrich Thaner*, Innsbruck 1874, ad C. 19, q. 2 (S. 69): „Qui autem causa sincerae religionis transire cupiunt, privata lege ducuntur et ideo nulla publica lege tenentur astricti, unde Urbanus: Duae sunt, inquit, leges, una publica etc." Zur Lehre des Rolandus speziell zum Übertrittsverbot cf. auch *Melville* (wie Anm. 59) S. 221 f. *Melville* betont m. E. zu stark eine Abweichung des Rolandus von der Tendenz Gratians – auch Rolandus gewährt dem Regularkanoniker keine Entscheidungsfreiheit zum Übertritt in ein Mönchskloster.

[86] *Rufinus*, Summa Decretorum, ed. *Heinrich Singer*, Paderborn 1902, Nd 1963, ad C. 19, q. 2 (S. 379): „Certum est, quod invito episcopo clericum eius nemo debet suscipere, nisi clericus voluerit transire ad frugem melioris vite; tunc enim etiam contradicente episcopo ire potest, sicut in secundo capitulo habetur. Episcopus autem non potest transire ad monasterium, non ligatus visco cupiditatis sed cura et officio pastorali – ut supra C.7, q. 1 § Hoc tunc-, nisi a summo pontifice faciendi hoc licentiam obtinuerit."

überhaupt eine spezielle Rechtsregel gab.[87] So schränkte man die Freiheit zum Klostereintritt durch Ausnahmen ein, die offenbar nicht einmal in einem speziellen Verbot formuliert sein mußten. Die Ausnahmen werden später vor allem in der Glossa ordinaria des Johannes Teutonicus zu den drei Fällen des Bischofs, der verheirateten Frau und des Unmündigen unter 12 Jahren zusammengefaßt, denen jeweils der freie Klostereintritt versagt bleibt;[88] diese Ausnahmetatbestände sind jedenfalls seit den siebziger Jahren (*Simon von Bisignano*) in der Bologneser Dekretistik bereits geläufig.[89] Die Bologneser Dekretisten sehen die Möglichkeit der Berufung auf die ‚lex privata' nur in dem durch das positive Recht vorgegebenen institutionellen Rahmen. Was das Problem des Übertritts des Regularkanonikers zum Mönchsorden betrifft, so meint etwa *Huguccio* in seiner Summa, daß dieser ohnehin aufgrund seiner Unterordnung unter den Vorsteher seines Konvents, der anstelle Gottes stehe, keinen eigenen Willen habe – folglich könne er sich auch nicht auf eine ‚lex privata' berufen.[90] Huguccio scheint es auch gewesen zu sein, der als erster die Frage erörtert hat, ob in der ‚lex privata' eine eigene Rechtskategorie

---

[87] Cf. Anm. 86.

[88] *Johannes Teutonicus*, Glossa ordinaria ad C. 19, q. 2, c. 2 v. ‚dignior' (ed. Romana 1583): „Tamen in tribus casibus preiudicat privata lex publicae, nam mulier, licet ducatur lege Dei, potest invito viro intrare religionem, XXVII, q. II, Si quis coniugium; nec impubes invito patre, XX q. II Puella; nec episcopus invito Papa, extra de Regu. c. licet. Non fallit regula intelligentes. Jo." In der vorliegenden Form ist diese Glosse in sich widersprüchlich. Nach dem Wortlaut der Glosse müßte man annehmen, daß Johannes anders als C. 19, q. 2, c. 2 die ‚lex privata' von der ‚lex Dei' unterschieden habe. In den Handschriften der Glosse aus dem 13. Jahrhundert lautet der Text jedoch: „Tamen in tribus casibus preiudicat private lex publica"; so in München Clm. 22553 und Clm. 23555.

Der letzte Satz „Non fallit regula intelligentes" ist in Wahrheit ein offenbar einschränkender Zusatz des Bartholomäus Brixiensis zur Glosse des Johannes.

[89] *Simon von Bisignano*, Glosse ad C. 19, q. 2, ediert bei *Weigand*, Naturrechtslehre (wie Anm. 17) S. 175f. Simon nennt als Ausnahmen gegenüber dem Vorrang der ‚lex privata': ‚minor aetas', ‚personae dignitas' und ‚matrimonii vinculum', außerdem jedoch ganz allgemein die ‚constitutio canonis', also das gesamte positive kanonische Recht. Damit verlor die Überordnung der ‚lex privata' über die ‚lex publica' jede Bedeutung. Cf. zu Simon auch *Melville* (wie Anm. 59) S. 217f.

[90] Cf. *Claudio Leonardi*, La dottrina decretistica de transitu religiosorum ad aliam religionem, Urbania 1950, S. 44.

gegenüber der ‚lex publica' enthalten sei, gewissermaßen ein Individualgrundrecht. Er macht dabei zunächst darauf aufmerksam, daß die Gewährung des Freiheitsrechts – der ‚lex privata' – ihrerseits in einer päpstlichen Anordnung, also in einer ‚lex publica', enthalten sei, so daß eigentlich die Rechtsgewährung selbst bereits in einer ‚lex publica' enthalten sei, und man deshalb sagen müsse: „Secundum hoc lex publica preiudicat legi publice, quia hic canon, qui dicitur lex publica, quia ab isto sancto patre confirmata, derogat illi publice legi, qua dicitur: neminem posse transire de suo episcopatu ad alium sine commendaticia littera sui episcopi."[91] Wenn in dem Urban-Kapitel der Begriff ‚lex privata' auftauche, so kann er sich nach Huguccio nur auf den inneren moralischen Antrieb des in ein Kloster Eintretenden beziehen, der dann durch das positive Recht anerkannt werde: „Lege privata ducitur, et lege publica et isto canone, qui dicitur lex publica, defenditur."[92] Als weitere Möglichkeit einer Auslegung des Begriffs ‚lex privata' erwägt Huguccio, daß hier wie bei einem Privileg die Durchbrechung des ius commune für den Einzelfall gemeint sei[93] – auf jeden Fall ist ‚lex privata' für ihn keine gegenüber der ‚lex publi-

---

[91] *Huguccio*, Summa zum Dekret (MS München, Clm. 10247, fol. 213ra) ad C. 19, q. 2, c. 2 v. ‚et nostra auctoritate': „scilicet lege publica. Nam et iste canon lex publica est, quia a sancto patre scilicet urbano confirmata, facit tamen mentionem de lege privata. Ergo qui sic transit, defenditur lege privata et lege publica. Set sic est distinguendum. Lege privata ducitur et lege publica et isto canone, qui dicitur lex publica, defenditur, licet competenter dicatur defendi utraque lege. Secundum hoc lex publica" etc. (weiter wie im Haupttext).

[92] Cf. oben Anm. 91. Die Frage, ob die moralischen Motive desjenigen nachprüfbar seien, der das Recht zum Klostereintritt in Anspruch nimmt, wird von Huguccio eindeutig ablehnend beantwortet. Cf. hierzu *Huguccio*, Summa ad C. 19, q. 2, c. 1 v. ‚invito' (fol. 212va): „Nec hec questio habet aliquam difficultatem vel distinctionem. Indifferenter enim dicendum est, quod velit nolit episcopus, potest clericus transire ad religionem auctoritate illius capituli scilicet Due. Semper enim presumitur lege privata duci, licet forte ducatur causa ambitionis vel vane glorie vel simulationis."

Diese Stellungnahme von Huguccio ist von grundsätzlicher Bedeutung, da er sich offenbar hier zum Prinzip einer Unüberprüfbarkeit der *Gewissensentscheidung* bekennt.

[93] *Huguccio*, Summa ad C. 19, q. 2, c. 2 v. ‚et nostra auctoritate' (fol. 213ra): „Quidam tamen dicunt, quod iste canon dicitur lex privata, quia quemquam secundum privata lege ambulantem liberat et absolvit a lege publica, sicut privilegium."

ca‘ höherrangige Rechtskategorie, so daß eigentlich der Satz: ‚Dignior est enim lex privata quam publica‘ weginterpretiert ist. Huguccio faßt seine Auslegung des Begriffs ‚lex privata‘ in folgendem Satz zusammen:

„Dicitur lex privata, quia separat aliquem a lege communi, vel quia lex privata dedit causam et originem huic constitutioni publice.“[94]

Bei diesen juristischen Überlegungen ist bereits das Problem berührt, ob ein in eine positive Rechtsordnung aufgenommenes Individualgrundrecht seinerseits als Recht dieser Ordnung übergeordnet ist. Die intensive Diskussion der durch das Kapitel ‚Duae sunt‘ aufgeworfenen rechtstheoretischen Probleme bei Huguccio läßt deutlich den hohen intellektuellen Rang dieses Kanonisten erkennen.

Anders als meist in der Bologneser Dekretistik haben aber die Dekretisten der französischen Kanonistenschule dem Kapitel ‚Duae sunt‘ größere Bedeutung zuerkannt. In der französischen Schule wird die auf die Eingebung des Heiligen Geistes zurückgeführte ‚lex privata‘ als eine Spezies des göttlichen Rechts oder des Naturrechts bestimmt und damit zu einer Kategorie allgemeiner Rechtslehre, aus der sich dann auch außerhalb des Anwendungsfalls von C.19, q. 2, c. 2 Folgerungen ableiten ließen, z. B. eines individuellen Rechts, den evangelischen Räten hinsichtlich der Teilung von Eigentum zu folgen. In der französischen Summa Parisiensis wird bereits um 1170 mit dem Prinzip der ‚lex privata‘ das auf päpstliche und konziliare Autorität gestützte Verbot des Übertritts des Regularkanonikers in den Mönchsorden einfach für irrelevant erklärt. Die Summa bemerkt zu dem Urban- Kapitel ‚Mandamus‘:

„Istud decretum de rigore loquitur; alioquin dicendum est tacita consuetudine huic esse derogatum.“[95]

Im selben Zusammenhang beruft sich die Summa darauf, daß ein Regularkanoniker einen disziplinär mangelhaften Konvent auch ohne Erlaubnis des Abtes zugunsten eines strengeren Klosters verlassen dürfe, sofern er dazu ‚interiore lege‘ bestimmt werde.[96] Die Über-

---

[94] *Huguccio*, Summa ad C. 19, q. 2, c. 2 v. ‚et nostra auctoritate‘ (fol. 213ra).

[95] The Summa Parisiensis on the Decretum Gratiani, ed. *Terence P. McLaughlin*, Toronto 1952, ad C. 19, q. 3, c. 2 (S. 194).

[96] *Summa Parisiensis* ad C. 19, q. 3, pr. (ed. *Mc Laughlin* [wie Anm. 95] S. 194): „Sic igitur distinguendum est, quoniam, si forte regulares alicujus levitatis instinctu, ut scilicet rigorem chori canonici devitent, monasterium ingrediantur,

trittsverbote von C. 19, q. 3 werden also in der französischen Kanonistik schon frühzeitig nicht mehr ernstgenommen.

Die stärkere Berücksichtigung der Gedanken des Kapitels ‚Duae sunt leges' in der französischen Kanonistenschule der zweiten Hälfte des 12. Jahrhunderts im Vergleich zu Bologna muß man wohl im Zusammenhang mit der engeren ‚liaison' sehen, die in Frankreich längere Zeit zwischen Theologie und Kanonistik bestand, wie wir seit *Kuttners* Forschungen wissen.[97] Der individualrechtliche freiheitliche Aspekt von ‚Duae sunt' wurde aber nicht nur in der kanonistischen Doktrin entwickelt, sondern setzte sich letztlich auch im päpstlichen Dekretalenrecht durch und beseitigte damit durch ‚ius novum' die entgegenstehenden Schutzvorschriften zugunsten der Regularkanonikerkonvente. Auf eine Anfrage des Bischofs von Amiens erklärte Papst Alexander III. Ende 1170 oder 1171 (JL 11866), daß ein Kanoniker, der aus seinem Stift geflohen war und nun in einem Mönchskloster mit Erlaubnis des dortigen Abts verweilte, dort auch bleiben könne, sofern das Kloster ‚maioris religionis' sei, also einer strengeren Regel folge. Der Entflohene könne dann guten Gewissens (‚pura conscientia') in seinem neuen Konvent verharren.[98] Allerdings wird die Entscheidung über den Standard des Klosters nicht dem Gewissen des Mönchs überlassen, sondern der Entscheidung des Diözesanbischofs von Amiens; damit war zunächst eine Verschiebung der Zuständigkeiten für die Erlaubnis zum Übertritt angeordnet, indem bisher nach Gratian der Vorsteher des Kanonikerstifts mit Zustimmung des Konvents, jetzt aber der Bischof den Übertritt legitimieren sollte. Außerdem wurde aber die Entscheidung des Bischofs an einen objektiven Maßstab, nämlich die Feststellung der ‚maior

---

revocari debent nisi cum abbatum suorum licentia transierint, et ad puniendam illorum levitatem cogendi sunt memorialem deferre cucullam. Sin autem non levitatis instinctu sed interiore lege ductus dissolutius monasterium deserat ut eligat arctius et arctioris vitae proposito se astringat, absque abbate etiam id facere potest." Zu diesem Text auch *Melville* (wie Anm. 59) S. 222f.

[97] Cf. *Stephan Kuttner*, Les débuts de l'école canoniste française, in: Studia et documenta historiae et iuris 4 (1938) S. 193–204 (= *ders.*, Gratian and the Schools of Law 1140–1234, London 1983, no. VI).

[98] X 3. 31. 10 (JL 11866). Zur Praxis Alexanders III. auf diesem Gebiet cf. *Maccarrone*, (wie Anm. 63), hier S. 381–388, und *Melville* (wie Anm. 59) S. 224. Zu betonen ist, daß die Amiens- Dekretale eine Prüfungskompetenz des Diözesanbischofs im Fall des Übertritts begründete.

religio', gebunden. Stellt der Bischof fest, daß sich der Regularkanoniker wirklich für eine strengere Gemeinschaft entschied, so soll die Gewissensentscheidung des emigrierenden Kanonikers respektiert werden.

Im Ergebnis lief dies auf eine Aufhebung der Bestimmung heraus, die Gratian in der Quaestio 3 der C. 19 aufgeführt hatte. Obwohl die Amiens-Dekretale Alexanders III. erst nach 1185 in eine Dekretalensammlung gelangte,[99] wurde die Möglichkeit freien Übertritts zu einem strengeren Orden auch in der Privilegienpraxis Alexanders betont – und bereits um 1180 war zumindest in Kanonistenkreisen bekannt, daß Alexander in der Übertrittsfrage das Recht des Decretum Gratiani bzw. Papst Urbans abgeändert habe. Wir besitzen hierfür ein interessantes Zeugnis in einem Brief des berühmten Kanonisten Stephan von Tournai, damals Abt von Saint-Geneviève in Paris, an den Prior des Zisterzienserklosters Pontigny.[100] Der Prior von

---

[99] JL 11866 wird rezipiert im Titel L der Dekretalensammlung ,Appendix Concilii Lateranensis' – App. 50. 28–29, ed. *Mansi*, Collectio conciliorum XXII, col. 438f. Dieser letzte Titel des Appendix ist ein späteres Supplement zu der um 1185 in England kompilierten Dekretalensammlung – cf. *Peter Landau*, Die Entstehung der systematischen Dekretalensammlungen und die europäische Kanonistik des 12. Jahrhunderts, in: ZRG Kan. Abt. 65 (1979) S. 120–148, hier S. 128f. und *ders.*, Studien zur Appendix und den Glossen in frühen systematischen Dekretalensammlungen, in: Bulletin of Medieval Canon Law N. S. 9 (1979) S. 1–21. Das in der um 1187 in Reims entstandenen *Collectio Brugensis* rezipierte Stück von JL 11866 umfaßt nicht den hier relevanten Teil der Dekretale – cf. *Emil Friedberg*, Die Canones-Sammlungen zwischen Gratian und Bernhard von Pavia, Leipzig 1897, Nd Graz 1958, hier S. 168 (= Brug. 53.8). Zur Collectio Brugensis cf. zusammenfassend *Landau*, Entstehung (wie oben) S. 143f.

Bernhard von Pavia nahm die Dekretale in sein Breviarium auf – 1 Comp. 3. 27. 10; er entnahm den Text vielleicht einem unter den Kanonisten kursierenden Auszug aus den Papstregistern – cf. *Walther Holtzmann*, Die Register Papst Alexanders III. in den Händen der Kanonisten, in: Quellen und Forschungen aus italienischen Archiven und Bibliotheken 30 (1940) S. 13–87, hier zu JL 11866 S. 46–48; zur Datierung der Dekretale S. 50. *Holtzmann* verzeichnet die gesamte kanonistische Überlieferung. Daraus ergibt sich, daß die Entscheidung zum Übertritt von Regularkanonikern (Teilstück *b* bei *Holtzmann*) erst nach 1185 in Dekretalensammlungen nachweisbar ist.

[100] Zu Stephan von Tournai cf. *Herbert Kalb*, Studien zur Summa Stephans von Tournai. Ein Beitrag zur kanonistischen Wissenschaftsgeschichte des späten 12. Jahrhunderts (= Forschungen zur Rechts- und Kulturgeschichte 12) Innsbruck 1983. Die Datierung des Briefs ergibt sich daraus, daß Stephan bereits Abt

Pontigny hatte bei Stephan als kanonistischem Experten angefragt, ob er Fratres des Klosters Grandmontré in Pontigny aufnehmen dürfe. Stephan zitiert nun die einschlägigen Gratiantexte über Regularkanoniker – Autun und Urban II. –, meint aber, daß diese Normen vielleicht auf die Grandmontenser nicht anwendbar seien, da sie nicht zu den Regularkanonikern gehörten. In der Tat war es unklar, ob man diesen Orden zu den Mönchsorden oder den Kanonikern nach Augustinerregel zählen konnte. Sie selbst würden sich nicht etwa Kanoniker nennen, sondern ‚peccatores' oder ‚boni homines', wie Stephan mit Kopfschütteln vermerkt, da er den Orden nicht in eine Rechtskategorie einordnen kann.[101] Vielleicht träfen auf die Grandmontenser die Rechtsvorschriften gar nicht zu. Aber selbst wenn es so wäre, daß Regularkanoniker nach Pontigny kämen, so würde auch für sie das alte Recht nicht mehr gelten, denn Alexander habe die alten Privilegien Urbans II. für die Regularkanoniker aufgehoben.[102] So könne er, Stephan, als Abt eines Kanonikerstifts bei einer Abwerbung zugunsten des Zisterzienserordens auch jetzt nur noch vorher abraten, aber niemand danach zurückholen. Der Übertritt erfolge aufgrund der Freiheit, die durch den Heiligen Geist gegeben sei. Wörtlich sagt Stephan:

„Vere, si aliquis nostrorum ad Cistercienses transire vellet, ante transitum dissuaderem, post transitum non revocarem. Nollem

---

von Saint-Geneviève war – seit 1176, und Alexander III. als regierender Papst erwähnt wird – bis 1181.

[101] *Stephan von Tournai*, ep. 71 (wie Anm. 63). Dort col. 368: „Quid canonicis regularibus et Grandmontensibus eremitis? Ipsi certe nec canonici appellantur, nec canonici volunt appellari; et quomodo cum eis participabunt se, quibus participari dedignantur et nomine? ... Si ab eis quaesieris cujus ordinis sunt, respondent: Peccatores sumus; si ab aliis, Bonos homines esse dicunt."

Da die Grandmontenser zur Zeit Urbans II. noch gar nicht vorhanden gewesen oder dem Papst bekannt gewesen seien, hätten die von Urban den Regularkanonikern erteilten Privilegien sich auch nicht auf sie erstrecken können; cf. col. 369: „Et quomodo poterat Summus pontifex privilegium dare his, qui necdum erant, vel in notitiam suam nondum venerant?" Zu den Grandmontensern cf. *Volkert Pfaff*, Grave scandalum. Die Eremiten von Grandmont und das Papsttum am Ende des 12. Jahrhunderts, in: ZRG Kan. Abt. 75 (1989) S. 133–154. Diese Arbeit geht von den Papsturkunden aus und berücksichtigt deshalb Stephans Brief nicht.

[102] *Stephan von Tournai* (wie Anm. 63) col. 369: „Ecce ne longa exempla petantur, videtur quia privilegium Urbani restringitur privilegio Alexandri."

Spiritui sancto resistere, nollem Spiritum extinguere, nollem libertatem spiritus impedire."[103]

Diese Begründung verrät deutlich die Herkunft aus dem Gedankengang von ‚Duae sunt leges'. Das Privileg Alexanders wird von Stephan als Anwendung des Grundsatzes der durch die ‚lex privata' des Heiligen Geistes gewährten Freiheit gedeutet – es ist damit nicht eine willkürliche Neuerung, sondern paßt zumindest partiell noch zur alten Rechtsordnung. Stephan war kein unbedingter Parteigänger eines päpstlichen ‚ius novum' und war daher offenbar bestrebt, für päpstliche Neuerungen auch eine gedankliche Basis bei Gratian zu finden.[104]

IV. Die Regelung durch Innocenz III.

Eine Wiederaufnahme des Gedankens, daß die ‚lex privata' die freie Entscheidung zur Wahl einer spezifischen mönchischen Lebensform gebe, erfolgt schließlich am Anfang des 13. Jahrhunderts durch Innocenz III. In einer an das Domkapitel von Durham gerichteten Dekretale aus dem Jahre 1206 setzt sich Papst Innocenz damit auseinander, daß einige Klöster, Kanonikerstifte und auch die geistlichen Ritterorden von den Päpsten Privilegien erhalten hätten, wonach ihre Angehörigen nicht das Recht hätten, in Orden strengerer Observanz überzutreten, sofern die bisherige Gemeinschaft den Mönch, Kanoniker oder Ritter nicht freigebe.[105] Diese Verbote werden aber nach Innocenz von der Freiheit der ‚lex privata' gewissermaßen überlagert und

---

[103] *Stephan von Tournai* (wie Anm. 63) col. 369. Die resignierte Feststellung Stephans zeigt, daß zu seiner Zeit aufgrund der Rechtsveränderungen unter Alexander III. jede Entscheidungskompetenz des Abts in der Frage des Übertritts entfallen war. Zum Brief Stephans bereits *Melville* (wie Anm. 59) S. 224f.

[104] Die Haltung Stephans zum ‚ius novum' wird vor allem in Ep. 251 (PL 211, col. 516–518) erkennbar, einem von ihm als Bischof von Tournai (1192–1203) an den Papst, vielleicht Innocenz III., gerichteten Brief. In diesem in der Literatur vielzitierten Brief spricht Stephan von der ‚inextricabilis silva decretalium'.

[105] X 3. 31. 18 (Po. 2763): „Licet quibusdam monachis et canonicis, nec non hospitalariis et templariis a sede apostolica sit indultum, ne, postquam aliquis professus fuerit apud eos, ad alium locum possit ipsis invitis arctioris etiam religionis obtentu transire . . .". Zu dieser Dekretale unter dem Gesichtspunkt des Übertrittsverbots auch *Melville* (wie Anm. 59), S. 228f.

könnten nur für solche Fälle gelten, wo in Wahrheit der Mönch oder Regularkanoniker nur seiner Gemeinschaft entkommen wolle, aber gar nicht eine strengere Lebensform anstrebe. Wollte er wirklich zum strengeren Orden übergehen, so muß er nach Innozenz nur ordnungshalber seinen Oberen um Zustimmung bitten. Trotz aller bisherigen Vorschriften und Privilegien darf nach Innocenz der Vorsteher des Konvents die Zustimmung nicht verweigern, da er ‚de iure' zur Erteilung der Zustimmung verpflichtet sei.[106] In Zweifelsfällen, ob die von den Betroffenen angestrebte Ordensgemeinschaft wirklich eine strengere Lebensform hat, soll die Entscheidung eines ‚Superior', also offenbar in der Regel des Diözesanbischofs, maßgebend sein[107] – damit lag Innocenz III. auf der Linie der Entscheidung Alexanders III. für Amiens. Ein Kanoniker des Domkapitels von Durham dürfe folglich ohne weiteres in den strengeren Zisterzienserorden überwechseln.

Soweit Innocenz III. im Jahre 1206. Gegenüber der eher beiläufigen, jedenfalls unmittelbar nur den Einzelfall betreffenden Regelung Alexanders III. fällt bei Innocenz auf, daß mit Hilfe des Prinzips der Freiheit aufgrund der ‚lex privata' bewußt eine generelle Regelung angestrebt wird, die alle älteren Privilegien für einzelne Konvente und auch die bei Gratian enthaltenen Texte konziliaren und päpstlichen Rechts außer Kraft setzt. Bei der generellen Regelung greift der Papst ferner auf die Formulierungen von ‚Duae sunt leges' zurück und verwendet vor allem die Formulierung: „lex privata quae publicae legi praeiudicat."[108] Die ‚lex privata' ist für Innocenz eine nicht in Normen faßbare innere Gewissensentscheidung, die jedenfalls der einfache Kleriker in Anspruch nehmen könne, wenn auch nicht der Bischof, bei dem wie im Fall von Lea und Martha die Dienstver-

---

[106] X 3. 31. 18: „Quocirca noverint universi, quibus huiusmodi privilegium est concessum, se ad concedendam licentiam transeundi taliter postulantibus de iure teneri."

[107] X 3. 31. 18: „Si vero probabiliter dubitetur, utrum quis velit ad ordinem arctiorem aut laxiorem ex caritate, an ex temeritate transire: superioris est iudicium requirendum."

[108] X 3. 31. 18: „Talis ergo, postquam a praelato suo transeundi licentiam postulaverit, ex lege privata, quae publicae legi praeiudicat, absolutus, libere potest sanctioris vitae propositum adimplere, non obstante proterva indiscreti contradictione praelati . . ."

pflichtung der Freiheit übergeordnet sei.[109] Die Bestimmung der Gewissensentscheidung ganz individuell als ,fons proprius cui non communicat alienus' stammt wörtlich aus der Tradition der Bologneser Dekretistik, speziell der Summe des Huguccio, und zeigt deutlich, daß zumindest bei der Redaktion der Dekretalen zur Zeit Innocenz' III. ein enger Zusammenhang zur Bologneser Dekretistik bestand.[110]

Die Dekretale ,Licet quibusdam monachis' wurde von Innocenz bereits in die Compilatio III aufgenommen, war also schon frühzeitig

---

[109] X 3. 31. 18: „Illa semper regula inviolabiliter observata, ut nullus episcopus[a)] absque licentia Romani Pontificis praesumat occasione quacumque deserere praesulatum, quoniam, sicut maius bonum minori bono praeponitur, ita communis utilitas speciali utilitati praefertur. Et in hoc casu recte praeponitur doctrina silentio, sollicitudo contemplationi, et labor quieti. Ad quod utique designandum unigenitus Dei filius Christus non de Rachele secundum carnem natus est, sed de Lia, nec legitur in domum suam Maria recepisse, sed Martha."

[a)] episcopus in Registro, om. 3Comp., X.

[110] X 3. 31. 18: „caritas est fons proprius, cui non communicat alienus." Dieser Satz, der bei Innocenz zur Begründung der Unüberprüfbarkeit einer Gewissensentscheidung verwendet wurde, war allerdings von den Dekretisten in ganz anderer Bedeutung verwandt worden. Bei den Dekretisten hatte eine Lehrmeinung das Naturrecht mit dem Begriff ,caritas' unter Berufung auf ,Duae leges' identifiziert; cf. die anglo-normannische Summe ,De iure canonico tractaturus' (ed. bei *Weigand* [wie Anm. 17] S. 196f.): „Videamus ergo quot modis ius naturale accipiatur ... Septimo amor sive karitas quam afflat ignis divinus, et hec lex privata nuncupatur, ut XIX q. II Due." Die hier referierte Lehrmeinung entstand frühzeitig in der Schule von Bologna und wurde von Simon von Bisignano mit dem Argument bekämpft, daß das Naturrecht Gemeingut aller Menschen sei, ,caritas' aber nur individuell wirken könne. Hierzu *Simon*, Summa zum Dekret (ed. bei *Weigand*, wie Anm. 17, S. 173): „Dicunt enim quidam quod ius naturale nichil aliud est quam ,caritas', per quam facit homo bonum vitatque contrarium. Set hoc stare non potest ideo, quia caritas in solis bonis est. Ipsa enim est proprius fons bonorum cui non communicat alienus. Ius vero naturale est commune omnium." Diese von Simon in einem negativen Sinne zur Abgrenzung vom Naturrecht geprägte Parömie wird später von Huguccio positiv aufgegriffen, um damit die individuelle Gewissensentscheidung in ,Duae sunt leges' zu kennzeichnen. Hierzu *Huguccio*, Summa zum Dekret, ad D. 19, q. 2, c. 2 v. ,privata' (MS München Clm. 10247, fol. 212va): „id est interna sancti spiritus illustratione inspirata, hoc ut credo est amor sive dilectio sive caritas, scilicet fons, cui non communicat alienus, hec absolvit ab omni vinculo servitutis, unde dicitur ,habe caritatem', fac quicquid vis." Die Verwendung des Satzes bei Innozenz III. geht offenbar auf den Gedankengang des Huguccio zurück.

ein allgemein verbreiteter Text.[111] Die hier von Innocenz III. verfolgte Linie, die bei Gratian zu findenden Verbotsnormen für den Übertritt von Regularkanonikern zu Mönchsorden für nicht mehr anwendbar zu halten, wurde vom Papst später 1210 in einer nach Laon gerichteten Dekretale noch einmal bekräftigt.[112] In Laon war ein Prämonstratenser in ein Benediktinerkloster übergetreten, später aber zu den Prämonstratensern vor allem auf Rat des Metropoliten zurückgekehrt und dort schließlich sogar zum Abt gewählt worden, hatte also nicht entsprechend ,Mandamus' nach der Rückkehr im Status eines Paria verharren müssen. Innocenz zitiert in seiner Dekretale, die als Antwort auf eine Anfrage konzipiert ist, das Kapitel ,Mandamus' mit der Wendung: „quod cautum est in canone".[113] Darauf erklärte er lakonisch, der neue Abt solle seine Würde behalten und sich wegen der Vorschrift des kanonischen Rechts keine Gewissensbisse machen; sie wird offenbar nicht mehr angewandt. Durch das Dekretalenrecht Innocenz' III. werden die von Gratian zusammengestellten Übertrittsverbote für Regularkanoniker für gegenstandslos erklärt; der Papst beruft sich in ,Licet quibusdam monachis' ausdrücklich auf die theologische Argumentation von ,Duae sunt leges'.

Die weitere Kommentierung bei den Dekretalisten und den Theologen des 13. Jahrhunderts kann hier nicht mehr im einzelnen verfolgt werden.[114] Grundsätzlich interessant scheint zu sein, daß sie nicht davon ausgehen, daß Innocenz III. das gratianische Recht auf-

---

[111] 3Comp. 3.24.4 = X 3. 31. 18.

[112] X 1. 14. 12 (Po. 3918) = 4Comp. 1.8.2. Zu dieser Dekretale auch *Melville* (wie Anm. 59) S. 232.

[113] X 1. 14. 12: „attendentes, quod cautum est in canone, ne quis canonicus regularis, nisi forte (quod absit) publice lapsus sit, efficiatur monachus, et, si factus fuerit, ad canonicatus ordinem revertatur, ultimus in choro manendo, cucullam ad memoriam delaturus."

[114] Zur Benutzung von ,Duae sunt' bei *Thomas von Aquin* cf. den interessanten Aufsatz von *Marcel Duquesne*, Saint Thomas et le canon attribué à Urbain II, in: Studia Gratiana I, Città del Vaticano 1953, S. 415–434. Thomas löst das Problem des Spannungsverhältnisses zwischen ,lex privata' und positivem Recht mit der These, daß die Eingebung des Heiligen Geistes die Unterordnung unter das positive Recht fordere: „Sed tamen hoc ipsum est de ductu spiritus sancti, quod homines spirituales legibus humanis subduntur." Damit ist natürlich das Problem des Textes eliminiert und die Geltung des positiven Rechts gegenüber jeder grundrechtlichen Deutung der ,lex privata' abgesichert.

gehoben habe, sondern daß etwa im Apparat Innocenz' IV. versucht wird, das gratianische Recht noch neben den Innocenz-Dekretalen heranzuziehen, indem die sich widersprechenden Texte jeweils für spezifische Fallgestaltungen gelten sollen. Die bei Gratian in den Übertrittsverboten enthaltenen Rechtsfolgen, den seinen Konvent verlassenden Kanoniker oder Mönch der früheren Gemeinschaft wieder zuzuführen, werden nunmehr rein prozessuual als *vorläufige Anordnungen* verstanden, wenn der bisherige Obere gegen den Übertritt Einspruch eingelegt hat und das Verfahren noch nicht abgeschlossen ist.[115] Im Ergebnis hat sich für das kanonische Recht zunächst die Freiheit zum Eintritt in ein Kloster auch für Kleriker durchgesetzt, also das im Kapitel ‚Duae sunt leges' enthaltene Prinzip. Papst Benedikt XIV. zitierte ‚Duae sunt leges' zusammen mit ‚Licet quibusdam monachis' in einer in sein Bullarium aufgenommenen Constitutio aus dem Jahre 1747; er stellt dabei ausdrücklich fest: „novam generalem legem hac de re minime necessariam nobis videri."[116] Noch 1898 bemerkte der österreichische Kanonist *Rudolf von Scherer* in seinem Handbuch des Kirchenrechts: „Dem Ordinarius ... steht nach geltendem Recht kein Mittel zu Gebote, um der sich mit den Interessen der Diöcese etwa collidierenden Desertion seiner Cleriker in Klöster

---

[115] *Innocenz IV.*, Apparat in V Libros Decretalium ad X 3. 31. 18 (ed. Frankfurt 1570, Nd. Frankfurt 1968): ad v. ‚probabiliter': „Clericus autem potest transire ad religionem non petita licentia, etiam si contradicatur, 19 q. 2 Duae. Crederemus tamen, quod posset eum repetere, si ex transitu suo prima ecclesia gravem sustineret iacturam, ar. hic;" ad v. ‚requirendum': „iustis enim causis assignatis, si appellaret abbas, crederemus eum restituendum, ante causae cognitionem, dummodo verisimile esset dictum abbatis, ar. s. de ap. bonae memo. O., et etiam forte idem, si non appellaret, et si tantum de transeunte monacho quaerimoniam detulisset, si monachus velit probare arctiorem religionem, [ad eum redibit] ad quem transivit, tamen ante causae cognitionem ad eum redibit, 19 q. 3 Mandamus, ... Sed quid dices in aliis abbatibus, ad quos transeunt, numquid statim tales monachos recipient ad eorum solam petitionem an cognoscent de causis, quae hincinde assignantur: Respon. quod abbas numquam debet recipere monachum sine litteris dimissoriis prioris abbatis, 19 q. 3 Statuimus."

[116] *Benedictus XIV.*, Bullarium, Bd. IV (ed. Venetiis 1768), Bulle ‚Ex quo Dilectus Filius' vom 14. 1. 1747, dort S. 31. Benedikt bezieht sich ausdrücklich auf C. 19, q. 2, c. 2 (S. 30) und X 3. 31. 18 (S. 32). Benedikt XIV. verlangt nur, daß der Kleriker, der in eine Ordensgemeinschaft eintreten will, den zuständigen Bischof vorher verständigen und dessen Rat einholen solle – aber dies ist eine bloße Ordnungsvorschrift.

wirksam zu begegnen."[117] Erst der Codex von 1917 hat das Recht zum Eintritt in ein Kloster für den Kleriker nicht mehr speziell hervorgehoben, sondern nur das Zulassungsverfahren zum Noviziat geregelt.[118] Gegen eine Verweigerung der Zulassung gab es die Möglichkeit der Beschwerde an die Konzilskongregation in Rom.[119] Auch der Codex Iuris Canonici von 1983 enthält keine Norm über den freien Eintritt in ein Kloster, sondern nur eine Regelung des Zulassungsverfahrens.[120] Historisch hat also in dieser Rechtsmaterie, jedenfalls heute, der Gesichtspunkt notwendiger Bedürfnisse der Kirche über denjenigen der libertas christiana aufgrund der ‚lex privata' den Sieg davongetragen.

---

[117] *Rudolf v. Scherer*, Handbuch des Kirchenrechts, Bd. II, Graz 1898, S. 798. Bereits Scherer bezeichnet hier C. 19, q. 2, c. 2 als ‚dubios'. Ebenso wie Scherer *Johann Baptist Sägmüller*, Lehrbuch des Kirchenrechts, Bd. I, Paderborn ²1914, S. 241f.

[118] *Codex Iuris Canonici* (CIC/1917), can. 542.

[119] Cf. hierzu *Heribert Jone*, Gesetzbuch der lateinischen Kirche. Erklärung der Kanones, Bd. I, Paderborn ²1950, S. 519; ferner *Klaus Mörsdorf*, Lehrbuch des Kirchenrechts aufgrund des Codex Iuris Canonici, Bd. I, München/Paderborn/Wien ¹¹1964, S. 512f.

[120] *Codex Iuris Canonici* (CIC/1983) für den lateinischen Ritus der katholischen Kirche, can. 641–645; can. 644 sieht eine Befragung des Bischofs vor. Der *Codex Canonum Ecclesiarum Orientalium* (CCEO) vom 18. 10. 1990 (AAS 82 (1990) S. 1156) formuliert in can. 452 schärfer: „§ 1. Clerici eparchiae ascripti ad novitiatum licite admitti non possunt nisi consulto proprio Episcopo eparchali; nec licite admitti possunt, si Episcopus eparchalis contradicit ex eo, quod eorum discessus in grave animarum detrimentum cedit, quod aliter vitari minime potest, aut si de iis agitur, qui ad ordines sacros in monasterio destinati aliquo impedimento iure statuto detinentur."